〉 増補改訂版 〈

かわいいうさぎ

幸せな飼い方・育て方

Mates-Publishing

Contents ●目次

Chapter 4 うさぎのライフステージ ～年齢別の育て方と四季の過ごし方～

Contents ●目次

はじめに

　うさぎの育て方の本を、というお話をお受けしたとき、真っ先に思った事は、私がうさぎと出会ったときに、「こんな情報があったら」と望んだことを書こうという気持ちでした。

　はじめて目にした純血種のうさぎ（アメリカンファジーロップ）はこの世のものとは思えない可愛さで、その見た目に魅了されたのだと思います。
　しかし、いざたくさんのうさぎと暮らしていくうちに、だっこの難しさ、爪切りとの戦い、何をどうすればよいのか、信じるべき情報もない時代でした。病気の情報も、うさぎを診られる獣医も少ない中で、自分で学ぶしか道はなく、気が付けば、うさぎ一筋の人生となっていました。

　この本は、ブリーダーとして同じ屋根の下でのべ100頭近いうさぎと暮らし続けてきた28年間の経験を、はじめての飼い主さんにも分かりやすく伝えたい思いで1ページごとに心を込めて執筆しました。すでにうさぎと暮らしている飼い主さんにも、発見や学びがあるようにと願いを込めています。

　「うさぎと暮らすはじめの第一歩」として、ご愛読いただけると幸いです。

　うさぎと心を通わせられる、幸せな日々のはじまりを祈って。

大里　美奈

Chapter 1

うさぎって、
こんな生き物

冬支度に大忙し！　大久野島で生きるアナウサギ

うさぎと暮らす
イメージと現実

ぱっちりした目、ふわふわの毛並み。でも、かわいいだけではありません。
うさぎと暮らす大変さも知っておきましょう。

**幸せの
イメージ**

かわいくてふわふわで
ず〜っとだっこしてあげたい♡
おめかしして、お外におさんぽ、
注目されちゃうな〜♡

現実は？

かわいいけど、
全然だっこさせてくれないし、
お外に行くとふるえて動かないし、
暑がりでクーラー代がかかるし、
病気になるとお金もかかるし。
もう……大変！！

うさぎと幸せに暮らすための5か条

1 うさぎの健康を考えた飼育環境と食事の準備。

2 家族の一員として、大切に育て続ける。
(結婚、出産、育児、転勤などの生活の変化)

3 暑い季節、24時間うさぎのためにクーラーを入れる。
(暑さに弱いうさぎは、クーラーなしでは命にかかわることがあります)

4 異変に気付いたときは、通院を優先する。
(仕事の予定があっても、病院にすぐ連れて行くことができるか)

5 うさぎが年老いたとき、精一杯お世話をする。
(年老いると寝たきりになったり、お尻が汚れたりします)

愛することは楽しいことだけでなく、
お金がかかることや心配することもあります。
でも、その愛情は必ずうさぎに伝わります。

- なでてなでてと甘えてきたり
- 「大好きだよ」ってなめてきたり
- 「おやつちょうだい」っておねだりしたり
- 病院で「ママ〜」ってしがみついてきたり

家族を一人一人、ちゃんとわかって、頼ってくれるんですよ！

野生のアナウサギの暮らしを知ろう

私たちが家族の一員としてかわいがっているペットのうさぎは、野生のアナウサギを家畜化して、品種改良した動物です。

❖ 野生のアナウサギの暮らし

フクロウも天敵

タカ、キツネは天敵

木の皮には抜け毛がつく

エサ場になる、牧草地

なわばりのフン

通り道

落ち葉も食べる

ここにも出入り口

巣穴1

ワーレンと呼ばれる迷路のような巣をつくり、群れで暮らしています

巣穴2

トイレの場所を決めています

より安全な巣穴を優位のメスが使います

❖ 薄明薄暮性の暮らし

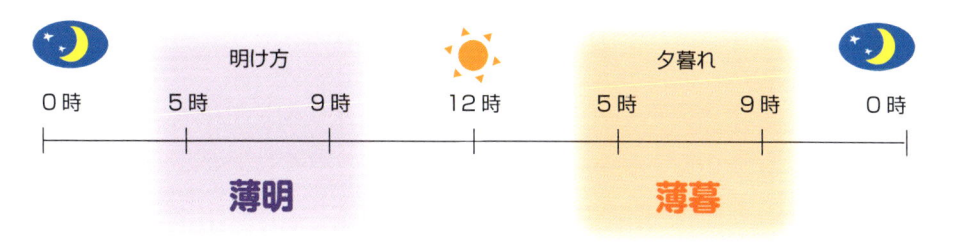

| 0時 | 5時 | 9時 | 12時 | 5時 | 9時 | 0時 |

明け方 / 薄明　　　夕暮れ / 薄暮

　捕食される立場のうさぎは、身を守りながら薄暗い時間帯になわばりの範囲の中で、草や木の葉、ときには木の皮を食べて暮らしています。

　その行動は保守的で、スタートからゴールまで、同じコースをたどるという観察記録が多く存在します。しかし、安心できる環境では好奇心旺盛という二面性を持っています。

木の皮を食べるうさぎ。

うさぎって、こんな生き物

❖ うさぎの分類

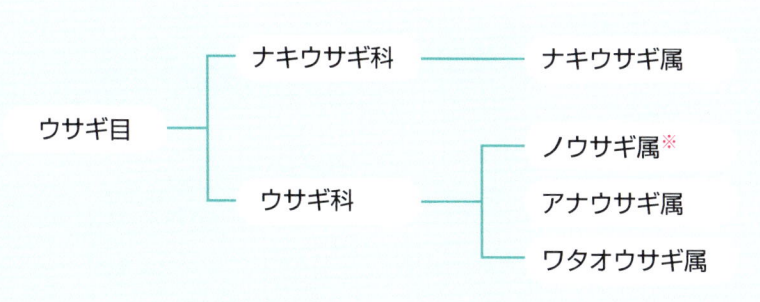

```
                    ┌─ ナキウサギ科 ──── ナキウサギ属
ウサギ目 ──┤
                    │                  ┌─ ノウサギ属※
                    └─ ウサギ科 ────┤ アナウサギ属
                                      └─ ワタオウサギ属
```

※ ノウサギは地上で暮らし、見た目は似ていても、アナウサギとは全く異なる動物です。
　ノウサギとアナウサギの間に子どもが生まれることはありません。

野生のなごり
行動から気持ちを知ろう

うさぎは飼い主にぴたっと体を寄せてきたり、遊ぼうよと誘いかけてきたりします。気持ちを知ってコミュニケーションを楽しみましょう。

✚コミュニケーション

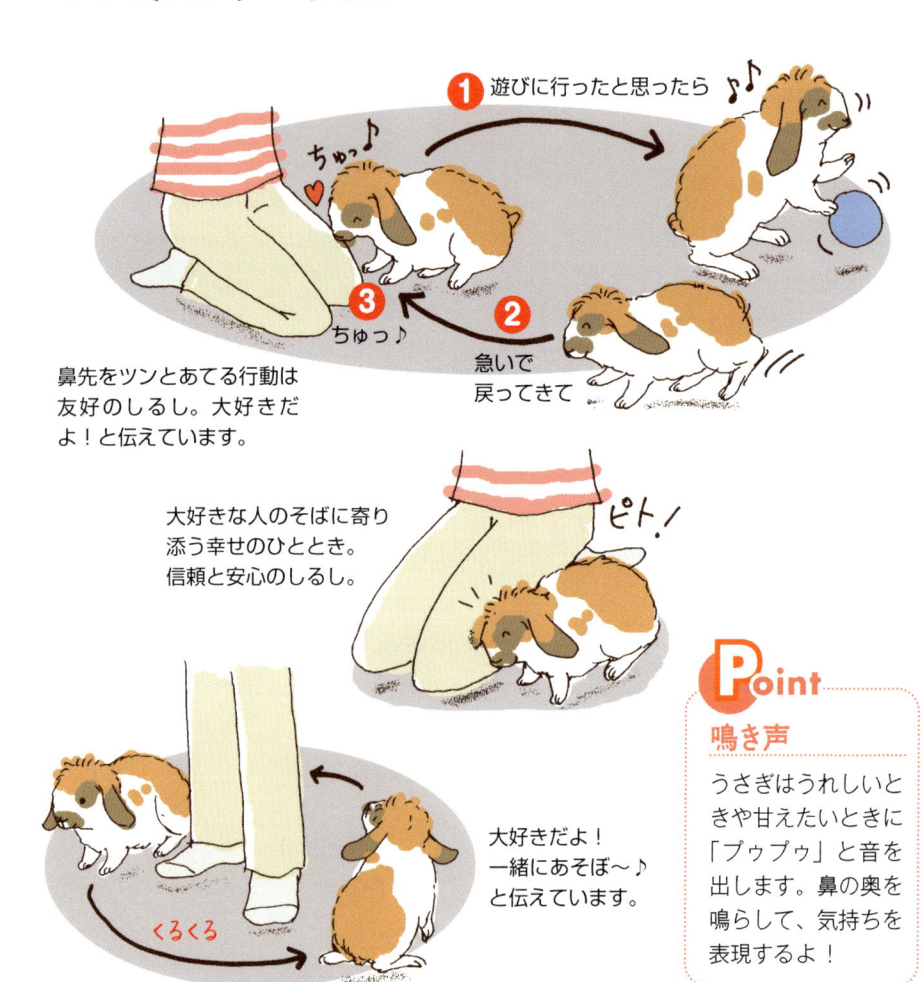

1 遊びに行ったと思ったら ♪♪

2 急いで戻ってきて

3 ちゅっ♪ ／ ちゅっ♪ ❤

鼻先をツンとあてる行動は友好のしるし。大好きだよ！と伝えています。

大好きな人のそばに寄り添う幸せのひととき。信頼と安心のしるし。

ピト！

大好きだよ！一緒にあそぼ〜♪と伝えています。

くるくる

Point

鳴き声

うさぎはうれしいときや甘えたいときに「プゥプゥ」と音を出します。鼻の奥を鳴らして、気持ちを表現するよ！

✛ 恋と発情

とくに春と秋は感情が強くなる傾向があります。コミュニケーション行動が激しくなり、しっぽを上に向けたり、左右に振ってアピールします。

マウンティング	エスカレートすると？

飼い主の腕や足に乗ってくる

くぃくぃ くぃくぃ

嫁にするために逃がすわけにはいかないぜ💛

ガブ！

マウンティングは、交尾行動と同時に、上下の順位付けの意味があります。うさぎのやりたいようにやらせていると、飼い主が下に見られてしまいます。さりげなく立ち去る、おやつで気をそらすなど、工夫してエスカレートさせないようにしましょう。

交尾のとき、男の子は女の子に逃げられないように、背中をキュッと甘がみして押さえつけます。飼い主に恋をしたうさぎは激しさを増すと本気でかむこともあります。攻撃ではなく、恋心からなのですが、大けがになる前にエスカレートさせないことです。

 注意!

トイレや牧草を取り出そうとしたら、ガブーッとする

　恋と発情のヒートアップしたうさぎは、交尾したいのか、怒っているのか分からなくなるほど興奮状態になります。「反抗期」なので、ホルモンが落ち着くのを待ちましょう。けがをしないように、ケージの扉を開けたら、すぐに頭を押さえて、さっと取りましょう。

野生のなごり
知っておきたいうさぎの習性

うさぎの習性には、野生のなごりがあらわれています。安心しているしぐさや危険信号を発する行動など、習性を見ていきましょう。

✤習性行動

すりすり

ニオイづけ

あごの下と陰部の両側に臭腺があります。

ぼくのしるし〜

なわばり

いつも決まったコースでなわばりポイントにシャー！

ホリ ホリ

ホリホリ

土がなくてもどこでもホリホリ！

Point

うさパンチ

野生のメスのウサギは気に入らないオスのウサギにしつこくされたり、休息をしているときに近寄られたりすると、その相手にいらだち、パンチで応酬します。

✛ 危険信号

うさぎって、こんな生き物

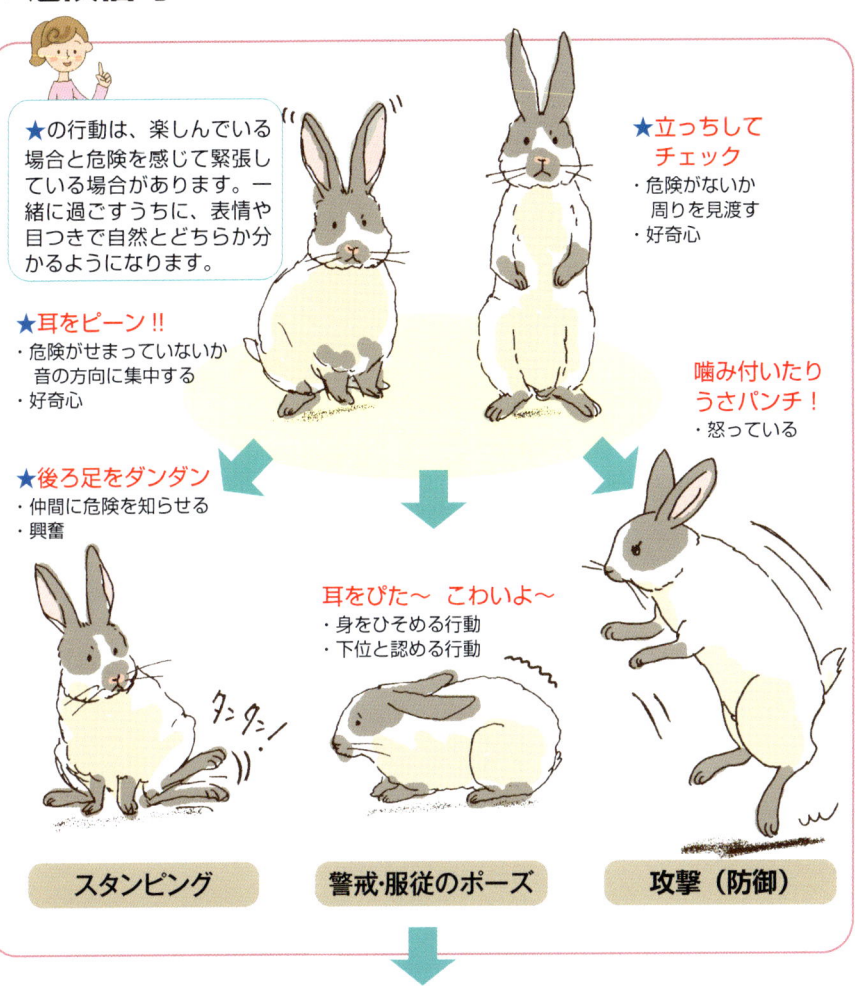

★の行動は、楽しんでいる場合と危険を感じて緊張している場合があります。一緒に過ごすうちに、表情や目つきで自然とどちらか分かるようになります。

★立っちしてチェック
・危険がないか周りを見渡す
・好奇心

★耳をピーン‼
・危険がせまっていないか音の方向に集中する
・好奇心

噛み付いたりうさパンチ！
・怒っている

★後ろ足をダンダン
・仲間に危険を知らせる
・興奮

耳をぴた〜 こわいよ〜
・身をひそめる行動
・下位と認める行動

ダンダン！

| スタンピング | 警戒・服従のポーズ | 攻撃（防御） |

さらに恐怖や痛みを感じると……

★奥歯の歯ぎしり
・痛みや苦しさのあるとき
・なでられて気持ちよいとき

ギリギリ

ピイ〜
キィ〜

オウムのような鳴き声で叫ぶ
・命の危険を感じたとき

体のしくみと
隠された能力

うさぎは、耳や鼻、目を使って、まわりのようすをキャッチします。ひげや前脚、後脚にもそれぞれ大切な役割があります。

目

両目を合わせると、ほぼ360度見ることができます。光のまぶしさに弱く、薄暗い場所のほうを好みます。視力は、0.05くらいといわれています。

耳

左右別々に動かし、危険な方向をキャッチします。毛の生えていない耳の内側には、血管がたくさん通っています。暑さで体温が上がると、耳の血管が外気で冷やされて体温を下げます。

ひげ

狭い場所でも通れるかどうか確認します。

鼻・上唇

優れた嗅覚を持ち、家族もにおいで区別できます。上唇（兎唇）と呼ばれる割れ目は、鼻の動きを助け、粘膜で匂いや味をキャッチする能力を高めています。

しっぽ

うれしいときや恋しているときは、左右に振り、交尾OKのときや危険を感じたときはピンと持ち上げます。

前脚

穴を掘るのに便利な短い前脚。5本の指と力強い爪が生えています。汚れを払ってから、顔を洗うしぐさがかわいいです。

後脚

逃げるために発達した、長く筋肉質な後脚。爪は4本で、肉球がありません。たっぷりと生えた足裏の毛は、土や岩場ではすべり止めの役割をします。

✛ うさぎの歯の秘密

うさぎは、「齧歯目（げっしもく）」ではなく、「うさぎ目」（別名重歯目）に分類されます。そのヒミツは、「くさび状門歯」（ペグ）があるからです。

かわいい口元の中はどうなっているの？

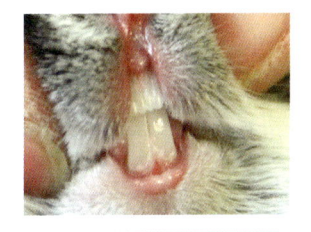

正面

白く輝く歯は健康のしるし

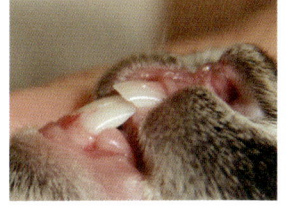

横

上の切歯（前歯）がかぶさるのが正常

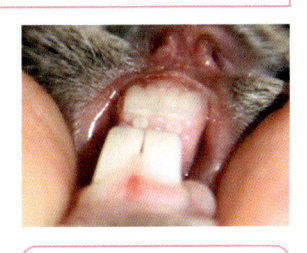

歯の裏側

上の切歯（前歯）の裏には小さなペグが2本ある

✛ うさぎの歯の数

	切歯（前歯）	臼歯（奥歯）	合計
上あご	4本	左右6本ずつ（12本）	28本
下あご	2本	左右5本ずつ（10本）	

注意!

すべらない環境を整える

うさぎの後脚は、フローリングの床の上では、スケート靴のようにすべってしまいます。足腰を痛めないためにも、すべらない環境づくりが大切です。

どの子もみんな愛くるしい！うさぎのいろいろな品種

ペットとして人気がある品種を紹介していきます。体は大きくても甘えん坊、さびしがり屋など、品種によって性格もさまざまです。

うさぎのカラーのグループ

うさぎにはたくさんの魅力的なカラーがあります。
そのカラーは、カラー遺伝子（特徴）によって、いくつかのグループに分かれています。
たとえば、ネザーランドドワーフは5つのグループに分けられています。

● セルフグループ

【特徴】見た目の色が一色
Color：ブラック、ブルー、チョコレート、ライラック、ブルーアイドホワイト、ルビーアイドホワイト

ルビーアイドホワイト

● シェーデットグループ

【特徴】鼻、耳、前足、後ろ足、しっぽが濃く、シャム猫のようなグラデーションのあるカラーのグループ
Color：セーブルポイント、サイアミーズセーブル、サイアミーズスモークパール、トータスシェル

サイアミーズスモークパール

● アグーティーグループ

【特徴】ふーっと息を吹きかけたときに、毛の付け根から、3色以上に変化するグループが、アグーティーグループに分類される。
Color：チェスナット、チンチラ、リンクス、オパール、スクワーレル

チェスナット

● タンパターングループ

【特徴】目、鼻、耳のふちどり、あごのライン、おなかやしっぽの裏が白だと○○マーティン、褐色だとタンズ○○と呼ばれます。また、タントライアングルという耳の後ろの三角形の毛が、白だと○○マーティン、茶色だと○○オターと呼ばれる。
Color：タン、オター、シルバーマーティンには、ブラック、ブルー、チョコレート、ライラックのバリエーションがあり、さらにセーブルマーティン、スモークパールマーティンが加わる。

セーブルマーティン

● A.O.V（Any Other Variety）グループ

【特徴】ワイドバンドとその他の色が A.O.V に分類されます。ワイドバンドとは、アグーティーと同じ特徴の色の変化から黒が抜けた明るい色で、オレンジとフォーンがある。その他には、ヒマラヤン、スティール、ブロークンがある。
Color：オレンジ、フォーン、ヒマラヤン（ブラック、ブルー、チョコレート、ライラック）、スティール、ブロークン

オレンジ

ホーランドロップ

大きくて丸い顔。コロコロ、ずんぐりむっくりした体型。ふさふさと立ち上がるクラウンと呼ばれる頭上の毛が特徴的なもっとも小型のフレンドリーな垂れ耳うさぎ。

さみしがり屋だけど
ボクは家族の太陽さ！

Color：ブロークン トータスシェル / Broken Tortoise Shell

Color：ブロークン　セーブルポイント
Broken Sable Point

ボクらは
パパもママも
みんな大好きだよ

Color：セーブルポイント / Sable Point

Color：トータスシェル / Tortoise Shell

うさぎって、こんな生き物

アメリカンファジーロップ

美しく長い毛が特徴の小型の垂れ耳うさぎ。穏やかで優しく人なつっこい子が多い。想像よりサラサラと張りのある毛を持つ。

AMERICAN FUZZY LOP
- 平均体重：1.6〜1.8kg
- タ イ プ：垂れ耳、長毛、小型種
- 原 産 国：アメリカ

人なつっこさ
1等賞って
いわれるの♪

Color：チェスナット / Chestnut

Color：ブルートータス / Blue Tortoise

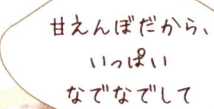

甘えんぼだから、
いっぱい
なでなでして

Color：ルビーアイドホワイト / Ruby Eyed White

Color：リンクス / Lynx

ネザーランドドワーフ

短い耳、まん丸の顔と瞳が魅力的な超小型のうさぎ。臆病で警戒心が強い子が多いため、時間をかけて心を通わせてほしい品種。

NETHERLAND DWARF

- 平均体重：900g 〜 1.2kg
- タイプ：立ち耳、短毛、小型種
- 原産国：オランダ

Color：サイアミーズセーブル
Siamese Sable

気品と誇りは忘れたくないんだ！

Color：セーブルマーティン / Sable Marten

他人の前では凛としていてもパパとママだけには甘えちゃお

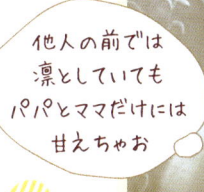

Color：ルビーアイドホワイト
Ruby Eyed White

うさぎって、こんな生き物

Color：フロスティー / Flosty（非公認）

Color：スモークパールマーティン
Smoke Pearl Marten

ジャージーウーリー

ゴージャスな毛が魅力の立ち耳うさぎ。アメファジが立ち耳に？ネザーが長毛に？と思えるような、多くの魅力が詰まった小型種。クール＆甘えん坊なツンデレさん。

JERSEY WOOLY
- 平均体重：1.2〜1.4kg
- タ イ プ：立ち耳、長毛、小型種
- 原 産 国：アメリカ

気品なら
ネザーには負けないわ！
とってもゴージャスでしょ

Color：サイアミーズセーブル / Siamese Sable

Color：ブロークン ブラックオター
Broken Blackotter

普段はおすまし
してるけど
本当はとっても
甘えんぼなんだよ

Color：ブロークン トータスシェル
Broken Tortoise Shell

Color：ルビーアイドホワイト / Ruby Eyed White

ミニレッキス

一度さわると忘れられないビロードのような毛は、衝撃的に美しい。明るく優しい性格で、天真爛漫☆　アメリカでも人気の高い品種。

MINI REX

- 平均体重：1.5〜2kg
- タイプ：立ち耳、短毛、小型
- 原産国：アメリカ

Color：ブロークン　ブルー / Broken Blue

ビロードって何？
みんな私のこと
「ビロードみたい」っていうの。
忘れられない気持ちよさ
なんだって

Color：ブロークン　リンクス
Broken　Lynx

元気いっぱい！
ねえ、もっと
あそぼうよ!!

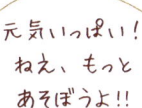

Color：キャスター / Castor

Color：オパール / Opal

うさぎって、こんな生き物

フレミッシュジャイアント

大きな体と長い耳、ぞうさんのような優しい瞳が特徴的。大きければ大きいほどほめられる大型種。性格は温厚。広いスペースが必要。

FLEMISH GIANT
- 平均体重：6〜10kg
- タ イ プ：立ち耳、短毛、大型種
- 原 産 国：ヨーロッパ

好きなことは
食べる、寝る、遊ぶ
だよ！

Color：フォーン / Fawn

フレンチロップ

ずんぐりむっくりな体と長く厚みのある耳が特徴的な大型の垂れ耳うさぎ。性格は温厚でやんちゃな子も多い。広いスペースが必要。

FRENCH LOP
- 平均体重：5〜7kg
- タ イ プ：垂れ耳、短毛、大型種
- 原 産 国：フランス

かけっこも
いたずらも
大好き

Color：ブロークン チェスナット / Broken Chestnut

Chapter 2

幸せな出会いに向けて

おたがいに、しあわせになろうね♡

どんなパパとママかなぁ〜 zzz...

好みのうさぎをさがそう

うさぎには、立ち耳、垂れ耳、短毛、長毛など体の特徴のほか、カラーバリエーションも豊富です。

❖ 立ち耳うさぎ

　頭がよくて、ちょっぴりビビリ。心を預けてくれるまで少し時間がかかりますが、必ず飼い主の愛は伝わります。残念ながら、子どもは苦手。ほどよい距離感を保てる、大人向きです。

立ち耳うさぎは こんな人にピッタリ

- 思いやりの気持ちのある人
- 理解しようとする心のある人

ネザーランドドワーフ（スモークパールマーティン）

❖ 垂れ耳うさぎ

　気さくで誰にでも笑顔を振りまく、おちゃめで甘えんぼなうさぎです。さみしがり屋な一面もあるので、ほったらかしにしないでネ。

垂れ耳うさぎは こんな人にピッタリ

- 子ども好きな人
- にぎやかなのが好きな人
- 愛情深く投げ出さない人
- 子どもともなかよく過ごしたい人

ホーランドロップ（上・ブロークン セーブルポイント、右・ブルートート）

❖ 長毛種

　長くふわふわの毛を持つ長毛種は、甘えんぼで、愛を求める子が多いので思い切り愛してあげて！

アメリカンファジーロップ（ブロークン フロスティー）

あそぼ〜

アメリカンファジーロップ（リンクス）

幸せな出会いに向けて

長毛種を幸せにできるタイプ

- ●愛情深く、世話好きな人
- ●やさしい時間を過ごしたい人
- ●子どもともなかよく過ごしたい人

❖ 大型種

　うさぎが大好きで、より深く、とことん愛したい人には、温厚で人なつっこい子が多い大型種がおすすめ。

大型のうさぎとの暮らしにチャレンジするには

- ●広い遊び場とケージが置ける人
- ●飼育経験があり、爪切りなどのお世話が、きちんとできる人
- ●うさぎ専門店や病院が近くにあり、サポートが受けられる人

大きいな〜

左・大型種のフレンチロップ（ブルー）
右・小型種のネザーランドドワーフ（ルビーアイドホワイト）

男の子と女の子の
違いを知ろう

「この子と暮らしたい」という気持ちが一番ですが、男の子と女の子の違い
を知っておくことも大切です。

男の子の特徴は
甘えんぼ

　人間の男の子のように、甘えんぼ。
反抗期や、やんちゃさに悩まされるこ
ともありますが、大人になるほど、甘
えんぼぶりは強くなり、まるで幼稚園
児のようです。お互いにとって、かけ
がえのない存在になるでしょう。

なでなでしてもらうのが楽しみ。

女の子の特徴は
ちょっとクール

　女の子も人間の成長そのものです。
子どものころは、ママっ子、パパっ子
だったのに、いつしか思春期が訪れ、
大人に成長します。大人になるほど、
パパとママへの愛は深くなるけれど、
ついつい大人ぶってしまうことも。そ
んな気持ちを理解しながら、信頼を深
めていきましょう。

ホントは甘えたいの。

注意!

**女の子に生理は
ありません!**　女の子と暮らすとき、絶対知っていないといけないことです。
もし出血を見つけたら、爪が折れているか、子宮、膀胱、結石
など病気の可能性大です。大切なサインを見逃さないでね!

✚ 成長による見た目の違いは？

男の子
実は、男の子の方がスタイル抜群で、大きくてまんまるのインパクトのある顔に成長します。

女の子
女の子は男の子より小顔です。大人になると、太りやすい傾向があります。

ずんぐり、むっくり、骨太なのがカッコイイ！

胸にデュラップという肉垂れができることもあります。

Point

おしっこはみんな飛ばすの？

　生後半年までにおしっこを飛ばさない子は、ほとんどの場合、生涯飛ばしません。うさぎにとっては、おしっこは大切な香水のようなものなので、目の前でお掃除をすると、プンプン怒ってしまうことも！

【 おしっこを飛ばす理由 】
- 発情が強く、負けん気が強い。
- 飼い主が大好きで、振り向いてほしい。
- 他のうさぎや動物がいて、なわばりを広げたい、守りたい。

おしっこ飛ばしガード

　ケージに近づくと、飛びしっこ。「こんな色男がここにいるぜ！」とアピールしてくれています。この困ったアピールは、2〜3歳になると落ち着きます。元気な証拠なので、叱らないでください。工夫して、ガードしましょう。

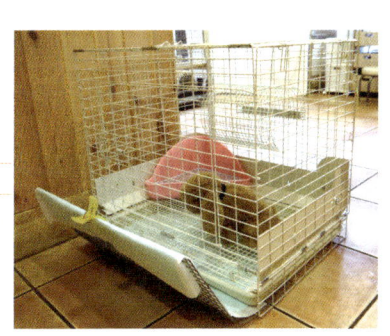

替え網のすのこを曲げて、ペットシーツをかぶせればガードできます。

自分の生活スタイルに合わせて考えよう

うさぎを選ぶときは、生活スタイルや家族構成だけでなく、うさぎの幸せも考えながら、よい出会いを見つけましょう。

お世話が大変だけど赤ちゃんから育てる

大きくなるまで待ってネ。

　赤ちゃんは、みんなかわいいものです。しかし、生後30日前後で販売される子うさぎは、ストレスに弱く、免疫力や消化力もまだまだ不安定です。小さい子どもや犬猫と暮らしていたり、お店から自宅が遠い場合は予約をお願いして大きくなるのを待ちましょう。

　あまり小さな子うさぎには病気のリスクもあります。どうしてもお迎えしたい場合は、何があっても生涯大切にお世話する覚悟で迎えましょう。

　お迎えから数週間は、本来はママうさぎと過ごすべき期間です。静かにやさしく見守ってあげましょう。

　生後50日、1ヵ月半ごろには、消化も安定し、元気いっぱいになります。できるだけ安心して迎えられる、健康な赤ちゃんうさぎと幸せに暮らしてください。

ふわふわに見えてもまだおっぱいが必要。

健康面で安定している 子どもから育てる

生後４ヵ月ごろのうさぎは、心は子どもですが、体は大人に近づき、健康面での安心感があります。健康第一！大きな子どもですが、性格がやんちゃなのか、おっとりしているのかもわかります。迎えた直後に思春期に突入しますが、心の成長を一緒に見守れる時間は、かけがえのない思い出になるでしょう。

やんちゃな年頃。

心も体も安定してる 大人を育てる

理由があって里子に出されるうさぎや、お店で大人になってしまったうさぎは、心も体も安定しており、育てやすいものです。愛されて大人になった子は、より愛してあげてください。愛されずに育った子ならば、愛される喜びを教えてあげてください。

子ども時代を一緒に過ごせなかった分、毎日を大切にすることで、より深い絆で結ばれます。とくに里親として迎えた場合は、二度と親が変わる思いをさせないためにも、生涯大切にしてあげましょう。

「新しいお家で
とっても幸せ♪」

純血種と雑種（MIX）何が違うの？

うさぎも犬や猫のように、純血種と雑種（MIX）がいます。それぞれの特徴を知り、理解を深めましょう。

純血種とは

品種ごとの特徴（スタンダード）を守り、健康な親を選別しながら固定化されたうさぎを純血種といいます。純血種は、産業動物として改良された品種と、ペットとして改良が進んだ品種に分けられます。

ホーランド、ネザー、ファジー、ジャージー、ミニレッキスなどの品種は小型で育てやすく、愛嬌のある性格とそのかわいい姿から人気が高まり続けています。

年に数回ラビットショーも開催されています。健康な純血種であれば、参加が可能です。ブリーダーにとっては、志高く、健康と品種を守り続けるための学びの場です。ブリーダーにとって

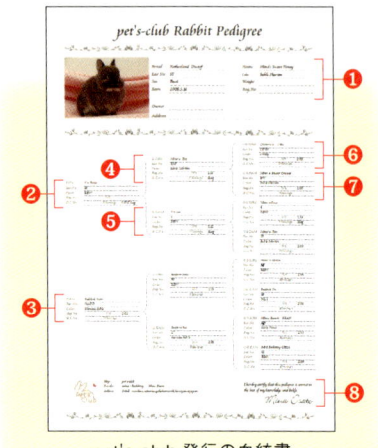

pet's-club 発行の血統書

❶あなたのうさぎのデータ
❷父親（SIRE）
❸母親（DAM）
❹父方の祖父 (G.SIRE)
❺父方の祖母 (G.DAM)
❻曾祖父 (G.G.SIRE)
❼曾祖母 (G.G.DAM)
❽繁殖された場所とブリーダーのサイン

は、繁殖したうさぎ達を評価される場です。健康とスタンダードを再確認する事で、純血種の可愛い姿が守られるのです。

純血種の特徴

- 短くて、厚みのある耳
- くりっとまん丸の瞳
- コンパクトな体
- まん丸の大きな顔
- 骨太でずんぐりむっくり

絵本の中から飛び出してきたようなかわいさです。

雑種（MIX）とは

血統管理されずに、品種へのこだわりなく繁殖されたうさぎを雑種またはMIXといいます。ミニウサギ、スーパーラビット、ピーターラビット、ロップ、ライオンロップなど、さまざまなイメージネームが付けられています。

私たちにとって、最初にうさぎの魅力を教えてくれる身近な存在でもあります。しかし、両親や先祖の健康の保

ミニうさぎのうーちゃんは10歳

証がないため、不正咬合などが多いことと、早期に離乳させられ、手の平に入るほど小さな体で店頭に並ぶこともあります。

雑種の方が長生きと言われることがありますが、そのような過酷な環境を生き延びた子が長寿を迎えており、その背景では失われる命が多いというのが現実です。

ルンちゃんはもうすぐ9歳。やさしいママと出会って幸せいっぱい。

MIX の子の特徴

- キュートな鼻先
- うさぎらしい長い耳
- すらっとした前足
- 体もすらりと長め

Point

雑種の子は太りやすい

生後4ヵ月ごろからヘルシーなフードに切り替えはじめて、肥満にならないように注意しましょう。健康診断も忘れずに！

11

健康なうさぎを見分ける チェックポイント

口元や瞳、毛並み、お尻がきれいかどうかなど体の状態を見分けるポイントや、育っている環境をしっかりチェックして選びます。

鼻水はでていない？

キラキラした瞳

ごつごつしていない？

口元はきれい？

きれいな毛並み

前足は汚れていない？

お尻はきれい？

元気なうさぎを見分けるポイント

　環境が清潔であることや、生後6週を超えているかどうかが重要なポイントです。誕生日が分からない場合は、ネザーなら400g、ロップ系なら500g以上が健康に成長する目安になるので、お店の人に体重を量ってもらうと安心です。また、目・鼻・歯に異常がないか、お尻が汚れていないかなど、健康状態を見せてもらいましょう。骨がごつごつ当らないか、触らせてもらうことも大切です。

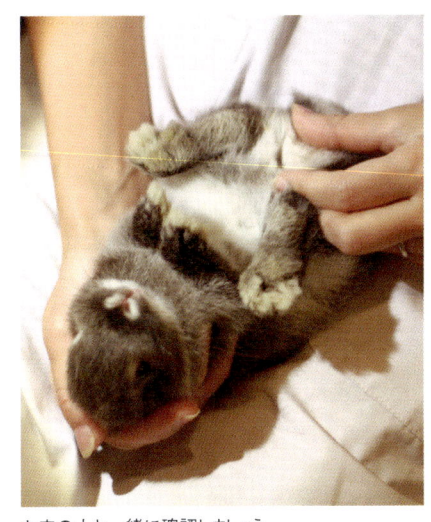

お店の人と一緒に確認しましょう。

❖ 必ず見ておきたいチェックポイント ❖

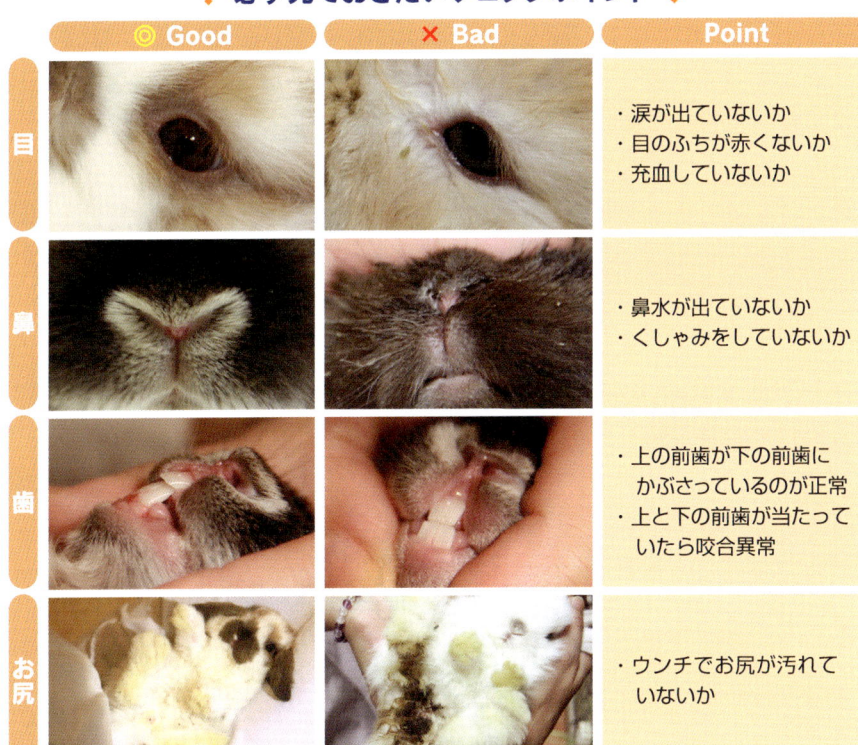

	◎ Good	✕ Bad	Point
目			・涙が出ていないか ・目のふちが赤くないか ・充血していないか
鼻			・鼻水が出ていないか ・くしゃみをしていないか
歯			・上の前歯が下の前歯にかぶさっているのが正常 ・上と下の前歯が当たっていたら咬合異常
お尻			・ウンチでお尻が汚れていないか

うさぎと暮らすと決めたら、どこから迎える？

健康なうさぎと出会うために、うさぎ専門店、ペットショップ、ブリーダーなどに問い合わせ、かならず見に行きましょう。

うさぎ専門店

　純血種が普及し、この20年ほどで専門店も爆発的に増加しています。うさぎが好きで始めたお店が多く、豊富な知識と経験があり、親身に相談に乗ってくれたり、多くのことを学べる場所です。お店にいるうさぎたちは、大切に育てられているので、人なつっこく愛嬌があり、見ているだけで幸せな時間が過ぎるでしょう。

　お店によって、うさぎに対する信念や好きなうさぎのタイプが違います。

専門店ならではの豊富な商品と、かわいいうさぎがいっぱい!

『ひっくり返しだっこ』初成功!やったね!!

　いろいろな専門店に足を運び、あなたに合った信頼できるスタッフのいるお店を見つけ、迎えた後も長いお付き合いができるところを選んでください。

　専門店には、うさぎのために考えられた飼育用品やフード、牧草、サプリメントなどが置かれています。専門店にしか並ばない商品もあります。うさぎの健康のためにも、ぜひ専門店に足を運んでみてください。

ペットショップ

うさぎってかわいい！ そんなきっかけを作ってくれる場所です。清潔で、牧草や水などのお世話が行き届いていることと、フェレットや猛禽類など、うさぎの天敵と並んでストレスにさらされていないかも重要です。

犬や猫が中心で、うさぎは得意でないお店もあります。もし運命のうさぎと出会ったら、飼育用品や育てる環境については、専門店に相談に行くとよいでしょう。

頼れる店員のいるお店を選びましょう。

ブリーダー

うさぎを愛し、繁殖をしている良心的なブリーダーを探しましょう。うさぎは愛されて育っているので、よきパートナーになるはずです。その後のサポートまではできない場合もあるので、よいお店や病院の情報を教えてもらうとよいでしょう。

里親になるとは？

繁殖を引退した子や、事情があって育てられなくなったうさぎを、無料で譲り受け、新しい親になることを、「里子を迎える」「里親になる」と言います。二度と親が変わる思いをさせないためにも、飼育環境を整えて、大切に育ててあげましょう。

★ どうすれば、里親になれる？

里親里子募集サイトなどで情報を集めたり、動物病院の掲示板や、ペットショップに里親募集の貼り紙がないかなど、気にして見てみましょう。困っているうさぎを助けたいと思うなら、幼稚園や小学校で生まれたうさぎや、捨てられたうさぎを保護している団体から迎えるなどさまざまです。

もしも捨てうさぎを 保護したら？

うさぎを 捨てないで

心ない人の手によって捨てられたうさぎや、育児放棄された赤ちゃんうさぎが、草原や道端で発見されることが多くなりました。捨てウサギをみかけたときは、どうか助かって生き延びて欲しいと思うものです。しかし、保護する場合には、その瞬間から責任が生まれるという覚悟も必要です。

大人のうさぎなら、健康診断に連れて行き、自分が育てるか、育ててくれる人を探して下さい。大人で捨てられたうさぎは、不正咬合や重い病気があるケースが少なくありません。介護をすることになる場合もあります。

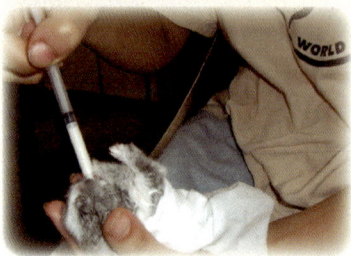

うさぎには何の罪もなく、幸せになる権利があります。罪を犯す人がいれば、救う人もいるはず。命をあきらめないでください。

▶ 保護したうさぎを育てるときの注意

ダニ・ノミがいたり、その他感染症があることも多いので、他に動物がいる家庭では、最低でも1ヵ月は別室で育て、駆虫、その他健康体になるまで、手洗いや消毒を徹底しましょう。

• 女の子の場合は、妊娠している可能性もあるので、検査と準備をしましょう。

• 200g 未満のベビーは、素人で育て上げることは難しいので、病院や専門店に相談しましょう。助けが得られない場合は、ヤギミルクで育てます。

参考サイト -pet's club ホームページ 「赤ちゃんを産んじゃった！」
http://www.pets-club.net/pets-rabbit-shiiku-024.htm

Chapter 3

うさぎと暮らす準備

～最初に必要な飼育用品～

最初に必要な飼育用品はこんなにいっぱい！

最初が肝心！ 健康に
つながる、うさぎにやさしい
飼育用品をそろえようね。

住まいと生活用品
うさぎを迎える前に準備しよう

健康に長生きをしてもらうために、住まい選びはとても重要です。足腰に負担が少なく、清潔を保ちやすい用品を選びましょう。

おうち（ケージ）は網製のものが衛生的

スーパーケージ　コンフォート80（川井）

Good!
小窓からおやつをあげたりコミュニケーション

Good!
横開きの大きな扉は抱いて出しやすい。

Good!
おそうじ楽々。網すのこもトレーも引き出せるのでいつも清潔。

Good!
網は痛そうに見えますが、ほどよい弾力が体の重みを分散し、足裏への負担を軽くしてくれます。また、計算されたマス目はフンがトレーに落ち、通気もよいので、衛生的に過ごすことができます。

注意!

木製すのこは不衛生

木製すのこはナチュラルに見えますが、うさぎの全体重が足裏に集中するので負担が大きく、洗ってもバイ菌が繁殖しやすくなり、不衛生です。また、盲腸フンやおしっこを踏んで足裏やお尻が汚れやすくなります。高齢になるほど尿やけ、フン汚れが目立ってきます。

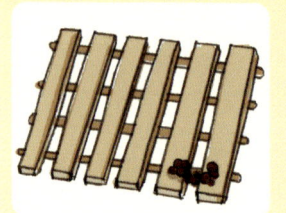

フード入れは固定タイプを

　フード入れは、しっかり固定できるタイプがおすすめです。食器の角で目にケガをすることがあるので、角に丸みのあるフード入れが安心です。

イージー浅型スライド食器（三晃商会）

牧草入れは2個用意

　牧草入れはたっぷり入る大きめのものや、立てたり寝かせたり、食べやすい向きに調整できるタイプがあります。
　メインは大きな牧草入れに。ごほうび用のおいしい牧草は小さな牧草入れにいれます。置き方や牧草入れを変えるだけで食べる量が増えることもあります。

ワイドフィーダー・い草の牧草入れ
ジオシェルター・チモシースタンド

給水ボトルは
ため水タイプの時代に！

　より自然に必要量を飲むために、ノズル式ではなく、サイフォン式のため水（お皿）タイプを選びましょう。

ラクリアボトル付き（ボンビアルコン）

注意！ お水は命の源です

　ノズルタイプのボトルは少量しか出ないことや先端に雑菌が繁殖しやすく、舌先を傷つける、ことが多いため、お皿タイプから飲ませてあげましょう。

トイレは網製がGood!

　うさぎの体の大きさに合ったもので、フンが落ちる網状のすのこのトイレがGood! お尻の汚れないものを選びましょう。いたずらっ子でプラスチックをかじってしまう場合は、歯の健康のためにも陶器のトイレに替えましょう。

トイレをカジカジする子には陶器製のホワイトレットがおすすめ。

ペットシーツは
色の薄いものを選んで

　ペットシーツはおしっこやウンチの色や量がわかりやすく、消臭効果もあります。お掃除にも便利ですが、その反面うさぎがいたずらして食べてしまうと、胃腸に詰まりやすく、命にかかわることもあるので、注意が必要です。四隅を内側に織り込んで、うさぎが引っぱり上げないように、ひと手間加えてセッティングします。

四隅が浮き上がらないように気を付けて。

トイレ砂は
うさぎ専用の砂で

　トイレ砂は木からできたものを選びましょう。おしっこを吸うとふくらむので、入れすぎると盛り上がってしまい、足やお尻が汚れてしまいます。ひとつかみが適量です。猫用の砂や紙、特殊素材でできたトイレ砂は、万一うさぎが口にしたとき大変危険なので、使ってはいけません。

pet's-club オリジナルウッドペレット
少量でOK。

✛ハウスやマットでレイアウト

　ハウスやマットを入れてあげることで、野生で暮らしていたころの穴の中の暮らしを再現してあげましょう。運動量も増え、幸せな気持ちになってくれるでしょう。

Good!
ごほうびの牧草入れ

ステップから降りる場所はバリアフリーにしましょう。高齢期には外しましょう。

Good!
たっぷり入る牧草入れ。ワイドフィーダー。

地上

〈穴の中をイメージ〉

地下

Good!
い草のマットは、うさぎにやすらぎを与えてくれます。ホリホリ、カジカジ、食べても安心です。

い草マット（ペッツクラブ）

Good!
いつでも、ごくごく気持ちよく飲める水入れ。ラクリアボトル

遊び場づくり
楽しく過ごしてもらうために

うさぎを迎える前に、サークルやすべりにくいマットなどを用意して、室内で遊べる環境を整えておきましょう。

サークルは高さが必要

安心して遊ばせるために、高さのあるうさぎ用のサークルを選びましょう。楽しく遊んでもらうために、トンネルやボールを入れ、トイレ・水・牧草も忘れずに入れてあげましょう。

マットは誤飲防止の素材を選ぼう

すべらず、かじりにくい素材のマットを選びましょう。いたずらっ子なうさぎの場合、右の写真のように布の上にい草マットを乗せれば、誤飲防止になります。

かじったマットが少しでも胃腸に詰まると大変!

い草マットはすべり防止になる上にかじったり食べたりしても大丈夫なマットです。思いきりストレスを発散できます。

グルーミング用品
美しい毛を保つために

初心者さんでも安心してグルーミングをするポイントは、うさぎの皮膚に優しいアイテムを揃えることです。

皮膚に優しいブラシ

ニューウェイフォーヘア

体に密着するカーブ

全身に使えるグルーミングケアウォーター

オードブリエ・シュシュラビット

切れ味の良い爪切り

猫壱　猫用爪切り

うさぎと暮らす準備

　グルーミングは気持ちが良いということを知ってもらうためにも、皮膚に優しくリラックスしてもらえるアイテムで慣らしましょう。コームやスリッカーブラシは後から追加していきましょう。

45

キャリーケース
おでかけの必需品

なわばりの外ではとても臆病なうさぎ。だからこそ外出のときに使うキャリーは、安心できる空間づくりが大切です。

キャリーケースは
ラタン製がおすすめ

通気性がよく、万一かじっても胃腸に詰まりにくいラタンキャリーが安全で、安心して使えます。

ルンルンバスケット
外が見えないタイプ。臆弱なうさぎ向き。

ラブリーバスケット
外から様子が見えるタイプ。甘えんぼなうさぎ向き。

キャリーの内部
すべらないように、い草マットや牧草をたっぷり敷き詰めます。ペットシーツのいたずら防止にもなります。

注意!

暑さといたずらに気を付けて
プラスチック製や布製のキャリーは、暑さに弱いうさぎにとって、秋冬向きです。どちらも、内部がサウナのように熱くなってしまうからです。また、布製のキャリーは、いたずらして布を食べてしまううさぎが多いので、強度の面からもちょっと心配。食べた布が胃腸に詰まってしまうこともあるので、十分注意が必要です。

プラスチック製　布製

災害対策グッズ
ぜひ備えておきたいもの

災害が起きたときには、うさぎをキャリーバッグに入れて連れ出します。
すぐに取り出せるところに食料や水を用意しておきます。

災害対策グッズは
必須アイテム

　地震や停電に備えて、数日分のフード・牧草・水を常備しましょう。避難したときを想定して、他人に迷惑をかけず、衛生的に過ごすために、底が網になったキャリーとペットシーツを数枚用意し、防災グッズと一緒に置いておきましょう。

　夏は暑さ対策のために、2Lのペットボトルを2～3本凍らせておくと、命の助けになります。

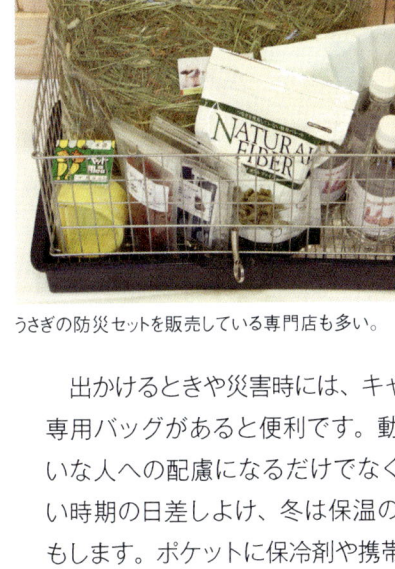

うさぎの防災セットを販売している専門店も多い。

キャリーにはネームプレートをつけておくと安心です。

　出かけるときや災害時には、キャリー専用バッグがあると便利です。動物嫌いな人への配慮になるだけでなく、暑い時期の日差しよけ、冬は保温の役割もします。ポケットに保冷剤や携帯カイロを入れておくと、暑さや寒さの調節ができます。また病院に連れていくときは大型犬からの目隠しにもなります。

　専門店にはかわいいキャリーカバーがたくさん販売されていますが、自分で生地を選び、世界にひとつのキャリーカバーを作ってみるのもおすすめです。

うさぎの食事 バランスが大切

うさぎの主食は、牧草とラビットフードです。ライフステージに合わせて、量や割合を考えながら、食べさせてあげることが大切です。

いろいろな種類の牧草

牧草には、イネ科のチモシーとマメ科のアルファルファがあります。ラビットフードの主原料には栄養価の高いアルファルファが使われているので、牧草はヘルシーで繊維の多いチモシーをたっぷりと与えます。

チモシー1番刈り

最初に収穫された牧草を1番刈りといいます。太く、固く繊維が多いのが特徴です。供給が安定しています。

チモシー2番刈り

1番刈りを刈り取った部分から生えてきた牧草を、2番刈りといいます。茎が細く、葉が多くなります。

チモシー3番刈り

気候に恵まれると、3度目の収穫ができます。ふわふわと柔らかく、ほとんどが葉となります。

Point

チモシーは産地によって、味わいや香りもさまざま！

大切なのは、うさぎに牧草をたくさん食べてもらうことです。一般に「繊維の多い一番刈りを与えましょう」といわれていますが、小さいころからさまざまなチモシーを与えていきましょう。

たくさんの種類があります。新鮮な香りの牧草を選びましょう。

ラビットフードの与え方

牧草はたっぷり。ラビットフードはライフステージ、体質に合わせて量を決め、与えすぎに注意します。

- ●ラビットフードだけでは？
  繊維と咀嚼（噛む回數）が不足
- ●牧草だけでは？
  健康を維持するための栄養が不足

❖ フードの特徴を知って、体質に合わせた良質なフードを選びましょう

シンプルラビット
（織光商事）

粗い繊維たっぷりの
グルテンフリー

エクセルネイチャーズブレンド
（メディマル）

野生の食性を研究して
作られたフード

Do ラビットフード
（ウサギのハート）

人が食べられる
安心設計の次世代型

✛ 食事のバランスは　うさぎの体を見てイメージしよう ✛

たっぷりの牧草
新鮮なお水と野菜
健康な盲腸便
これらが一番大切な基盤です。

季節の変わり目や体調不良に備えた
日々の栄養補給としてラビットフードを
あげましょう。

食事のバランスの
イメージ

フード
野菜
牧草
おやつ

何より大切な盲腸便

注意! 　**フードの切り替えは
慎重に！**

　ラビットフードを急に切り替えてしまうと、腸内細菌バランスが崩れることがあります。ラビットフードを減らすと、自然と牧草を食べる量が増えます。与える量で調節できれば胃腸への負担も少なくてすみます。頻繁にラビットフードを変えるのは厳禁です。

主原料や栄養価もチェック

　ラビットフードはアルファルファ（マメ科）やチモシー（イネ科）、またはその両方が主原料となり栄養バランスよく作られています。同じ主原料のフードでも、たんぱく質など成分に特徴があります。うさぎの体質に合わせて選ぶためには、うさぎを連れて専門店に相談に行き、肉付きやコンディションを見てもらうのが一番の方法です。
迷ったときには専門家に相談しよう！

※バランスのとれた食生活 90 ページも見てね!

49

ペレット状にした牧草は、牧草を食べられない子に

　近年、うさぎの寿命はどんどん延びてきました。高齢になると、奥歯のトラブルが多くなり、牧草が食べられないうさぎが増えてきます。

　そんなうさぎのために、牧草をペレット状に固めた商品の開発が進み、手に入れられる時代になりました。ラビットフードと形状が似ていますが、これは形を変えた「牧草」です。用途を理解して選びましょう。

> 飼い主の
> アレルギー
> 対策に

> カロリーが低く、
> ラビットフードの
> 代わりには
> ならない

**こんなうさぎに
ピッタリ！**

牧草を食べられないうさぎや、好き嫌いが激しく、繊維の不足しているうさぎに与えます。ダイエットさせたいうさぎにも最適です。

> 牧草の繊維を
> サポート
> 粗繊維
> 31.4%

Point

あきらめないで！
牧草にこだわらず
粗い繊維でもおぎなえます！

　乾燥した野菜、野草、わらやい草のおもちゃも牧草の代わりになります！視野を広げて、食べられる繊維を探してみましょう。

おやつは体にやさしいナチュラルなものを選ぼう

おやつの時間は、うさぎが一番楽しみにしている幸せのひとときです。毎日あげるものだから、加糖されていない体にやさしいおやつを選び、与え過ぎないことが大切です。

無農薬

漂白剤を
使って
いない

砂糖、
ブドウ糖を
使っていない

ラビットガーデン（ペッツクラブ）

✚ うさぎのために作られた安心なおやつ

| いちご | みかん | りんご | くずの葉っぱ | あしたば | スペシャルブレンド |

フルーツ

季節の野草や野菜を取り入れよう

注意!

気を付けて！

ドライフルーツには、漂白剤や香料、着色料、さらにブドウ糖が加えられたものが大半で、虫歯の原因にもなります。体にやさしいおやつを選んであげましょう。

与えないで！

甘くておいしいクッキーやビスケット、パンなどは、糖類、脂肪、炭水化物が胃腸の大きな負担になります。絶対に与えないで！

水とサプリメント
より健康に育てるために

いつでも新鮮な水を飲めるようにしておきましょう。うさぎの健康を考えて、できるだけ体にやさしい水を与えましょう。

水道水
（カルシウム 20mg）

水道水を与える場合は、沸騰させた後、ふたを開けて湯気を外に出し、冷まします。常温になってから、与えましょう。水道水には塩素が残留していて、トリハロメタンなどの物質も含まれているからです。

シリー・ケイ
水溶性濃縮珪素（非結晶性）

地中に多く含まれるケイ素は、穴うさぎにとって身近な成分ですが、家庭で暮らすペットのうさぎが取り込みにくい成分です。毎日のお水に3プッシュ混ぜて補いましょう。

魔法のスティック
（雑菌を抑えて軟水に）

動物の体の60%〜70%は水で出来ています。ボトルに入れるだけで軟水のおいしいお水が作られます。銀イオンボールで雑菌も抑えられるので、いつでも綺麗なお水が維持できます。

注意!

清潔な水をいつも用意する！

　水を入れる容器は、カビや雑菌が繁殖しやすいため、朝と夜、きれいに洗って、新しい水に入れ替えましょう。サイフォン式のお皿タイプがおすすめです。普通のお皿だと、水をこぼしたり、水遊びをして、飲み水がなくなることがしばしばあるからです。

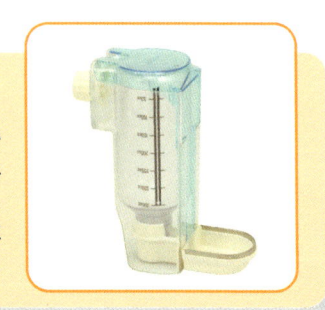

体調を整えるサプリメント

うさぎの体調や年齢、体力など必要に応じて、サプリメントを与えるとよいでしょう。整腸作用のあるもの、免疫力に効果があるものなどさまざまです。用途や効果を知って選びましょう。

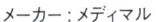

メーカー：メディマル

メーカー：日本ビーエフ

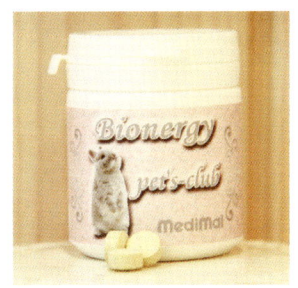

メーカー：メディマル

うさぎと暮らす準備

グレースフル・オールメンテナンス

胃腸の蠕動運動を中心に、全身の免疫アップを考えて作られたサプリメントです。やわらかいので、歯の悪いうさぎにもおすすめです。

アニマストラス

60種類のハーブを使用して特殊な酵母で自然発酵した、免疫、腸活、毛艶、被毛の改善に期待できるサプリメントです。

ビオネルジーペッツクラブ

全身の免疫系をサポートし、粘膜や細胞を元気にしてくれます。体の基盤から整えてくれるおすすめのサプリメントです。

Point

うさぎの救急箱〜常備しておきたいサポートアイテム

急な体調不良のときあわてないように、サプリメントや保温グッズを常備しておきましょう。

アクアコール

具合の悪いうさぎに一番必要な水分を補ってくれる電解質飲料。水に溶かして与えます。

パネルウォーマー

体調不良のときは、保温してあげることも重要です。体内の水分や血液を温めてくれます。

1cc シリンジ

緊急時、口とのどをうるおすために準備しておきましょう。

住まい	☐ ケージ ……………………	替え網があると Good
遊び場	☐ サークル ………………	高さのあるものを選ぼう
	☐ サークル用マット ………	マットのカジカジ対策も忘れずに
食器	☐ フード入れ ……………	固定できると Good
	☐ 牧草入れ ………………	2個は準備しようね
	☐ 給水ボトル …………	サイフォン式のお皿タイプを選ぼう
トイレ用品	☐ トイレ……………………	うんちが落ちる網のトイレが Good
	☐ トイレ砂…………………	木でできたうさぎ用を選ぼう
	☐ ペットシーツ……………	おしっこの色が見やすい白いシーツをチョイス
グルーミング	☐ グルーミングスプレー …	シュシュラビットがおすすめ No1
	☐ ブラシ …………………	皮膚に優しいニューウェイフォーヘアがおすすめ
	☐ コーム …………………	正しい使い方を専門店で学んでから使おう
	☐ 爪切り …………………	うさぎ用または猫用が Good
食べ物	☐ ラビットフード …………	お店で食べていたものからスタート
	☐ 牧草 ……………………	2種類以上与えよう
	☐ おやつ …………………	無添加のラビットガーデンや N.S トリーツを選ぼう
	☐ お水 ……………………	軟水のお水を選んで与えよう
ハウス	☐ トンネルや木のハウス …	心の安らぎの場所を準備しよう
移動	☐ キャリーケース ………	通気のよいラタン製がおすすめ
季節	☐ 保温・保冷グッズ ………	冬はパネルウォーマー、夏は保冷剤
救急箱	☐ アクアコール …………	急な体調不良に備えて脱水予防
	☐ シリンジ…………………	小さいうちからシリンジに慣らそう

＊かじり木 ………………… ささくれが胃腸に刺さることがあるため、使わないようにしましょう

Chapter
4

うさぎの
ライフステージ

〜年齢別の育て方と四季の過ごし方〜

つよい子に育って、幸せになるのよ。

こらこら、やんちゃはダメよ！

ライフステージ 誕生からの１カ月

うさぎの赤ちゃんが家にやってくるまで、どんな風に育っているのか見てみましょう。

ライフステージ ① 誕生～授乳期　赤ちゃんうさぎの成長

牧草とママのいいにおいに包まれて、すやすや眠ります。

誕生

母うさぎが草を運び、胸の毛を抜いて作った巣の中ですやすや眠ります。兄弟で体を寄せ合い、ぽかぽかです。

うさぎは生まれた瞬間から優れた嗅覚をもち、すぐにおっぱいを探しだします。

うさぎは、平均30～40gで生まれます。まぶたはくっつき、耳も穴が閉じています。毛も生えていないのですが、小さな指の先には爪が生えています。穴を掘る動きをしながら、巣の奥にもぐっていくことができます。

10日目 まぶたが開き、耳が聞こえる

１週間経つと耳が聞こえるようになり、10日目にはまぶたが開きます。毛も生えてきて、色がはっきりしてきます。後ろ足で顔や体をかくかわいい姿が頻繁に見られるようになります。

「はじめまして！」初めて見る外の世界に瞳がキラキラです。

ネザーランドドワーフ

牧草やフードを食べる

　足の力も強くなり、動きが活発になります。ジャンプして巣箱から飛び出し、楽しそうに遊ぶ姿が見られます。

　牧草や、母うさぎの食べ残した、細かくなったフードを口にするようになります。

背伸びして、一所懸命に食べる「ゆきみちゃん」

　一日一日、驚くほど成長します。毛も長くなり、親と同じように、うさぎらしい行動をとるようになります。よく食べるようになって、盲腸の働きが活発になります。

牧草をもりもり「モコくん」

生後30日。うさぎらしくなりました。ふわふわでかわいいね。

アメリカンファジーロップ

うさぎのライフステージ

注意!

生後30日前後はお尻の汚れに気をつけて

　ラビットフードや牧草をモリモリ食べ始めると盲腸の働きが活発になり、食べるウンチ「盲腸フン」がたくさん作られるようになります。

　食べ残した盲腸フンがお尻にこびりつくと大変！小さなうさぎを迎えた時は、毎日のチェックが大切です。

お尻にこびりついたフンの状態

21 生後50日〜2ヵ月

ライフステージ
離乳からひとり立ちまで

離乳を終えて、赤ちゃんうさぎから子どもに成長します。母うさぎと離し、男の子と女の子は別のケージにして育てます。

ライフステージ 2 離乳期 赤ちゃんから子どもへ

50日
完全離乳と母との別れ

生後40日〜50日で完全な離乳を迎えます。母うさぎと別々のケージに移し、数日間保温と安心のために兄弟と一緒に過ごさせます。ごはんの時間によろこんでかけ寄ってくるか、お尻が汚れていないか、しっかりチェックします。

そろそろお別れの時が。仲良し「風太郎」と「ごんた」兄弟。
アメリカンファジーロップ

注意!

いつまでも母うさぎと一緒だと？

野生のアナウサギは生後1カ月の時には群れの一員となります。ケージの中で母子を一緒にしておけば、数ヶ月間授乳が続きますが、適切な時期に離乳させ、草食動物としての消化システムを整えることが大切です。

親子であっても子どもができてしまう事もあるので、生後2カ月になる前には完全離乳させ、ケージを別にしましょう。

注意!

離乳期はもっとも体調を崩しやすい！

腸内細菌バランスの変化により、下痢になりやすい時期です。食べ盛りの時期とはいえ、高カロリーフードばかり与えず、牧草をたっぷり与え、清潔な環境で育てましょう。

かまい過ぎも大きなストレスの原因になるので、大切に見守りましょう。

2ヵ月
1人暮らしを始めさせる

遅くとも生後2ヵ月になったら兄弟を別々のケージにして、一人暮らしをスタートさせます。子どもに見えても、ホルモンが上昇し、第2次性徴が始まります。喧嘩や上下の順位付けが起きるなど、ストレスやけがの危険もあります。2〜3ヵ月で妊娠してしまう女の子もいるので、男の子と女の子は早めに別にします。

ママとごんた兄ちゃんのぬくもりを思いだす「風太郎」。
アメリカンファジーロップ

好物にすることが目的。野菜は少量から慣しましょう。
ホーランドロップ

冒険の始まり

一人暮らしに慣れてきたら、サークルで遊ばせたり、少しずついろいろな種類の野菜やおやつを与えましょう。この時期に味を教えて、安全な食べ物を認識させておかないと、同じもの以外口にしない子になりやすいので、病気のときに食欲を出させるためにも、大好きな食べ物を増やしてあげましょう。

oint

発情のはじまりとサイン

ある日急にだっこを嫌がったり、ブゥ！と怒ったり。縄張り意識が強くなると、反抗的になります。ホルモンが安定するまで、そっと見守りましょう。飼い主の腕やひざにうさぎが乗ろうとしたら、さりげなくあしらって乗らせないこと。マウンティングは発情を強めてしまうのと同時に、飼い主がうさぎより弱い「下位」と認めることになってしまうからです。飼い主は上位に立つことが大切です。

22 男の子と女の子の成長

ライフステージ
ひとり立ちから1歳半の変化

子どもから大人になっていく時期です。男の子も女の子も発情がはじまります。発情のサインを知って、上手に見守りましょう。

ライフステージ ③ 成長期 子どもから大人へ

男の子の成長
発情と上手に向き合おう

なでなでい間違い？

　男の子は生後4～5カ月になると強さをアピールし、子孫を残す戦いに勝ちたい本能が目覚めます。飼い主を恋人やライバルと思い、マウンティングや交尾行動、おしっこ飛ばしをすることがあります。野生本能の強い子、他の動物の存在、人なつっこすぎる子に多く見られる行動です。

男の子の生殖器

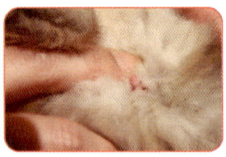
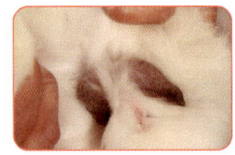

子ども（円筒型）　　　大人（睾丸がおりてくる）　　　発情時

Point

ベビーファーから大人の毛へ

　生後2カ月を過ぎた頃から赤ちゃんの毛が抜け始め、大人の毛に生え変わります。
　この時期から本格的なグルーミングを始めないと、飲み込んだ毛が胃にたまってしまいます。

おでこからお尻に向かって抜けていくよ!
アメリカンファジーロップ

✚ 顔と体の変化

1カ月
コロンとまんまるに、ぐんぐん成長!

3〜6カ月
鼻先からお尻まで長く伸びる成長

1歳半
換毛を繰り返しながら
横幅と丸みの成長が続く

女の子の成長
成熟を理解しよう

女の子は大人になると、人の成長のように「大人っぽく」なります。野生では捕食される立場なので、たくさんの子どもを産めるように、男の子と出会い、交尾の刺激を受けると排卵するという、妊娠しやすいしくみが備わっています。

そのため、背中からお尻をなでられると、その反応によって、「偽妊娠」することがあります。この偽妊娠は、ホルモン状態も本当に妊娠しているときと同じになり、巣作りをし、胸の毛を抜き、乳腺が発達します。

体にも心にも負担が大きいため、よけいな刺激を与えないようにしましょう。また、偽妊娠するうさぎは、将来の子宮卵巣疾患リスクが高いので、早めに避妊手術を検討しましょう。

セッセ セッセ

赤ちゃんが
できたわ!?

**女の子の
生殖器**

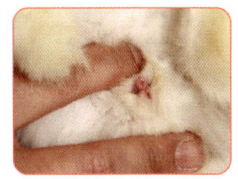
子ども（涙型）

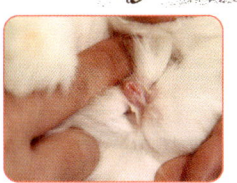
大人（薄いピンク）

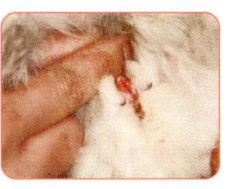
発情時（赤みが強くなる）

ライフステージ
1歳半から3歳までに考えておきたいこと

子うさぎのころに戻ったように表情もおだやかになり、信頼関係が深まる時期です。顔と体も完成します。

ライフステージ 4 壮年期　成熟した心と体　充実の時期

2歳になった「熊五郎」君。反抗期も過ぎやさしい子になりました。

アメリカンファジーロップ トータスシェル

3歳から5歳は
安定期に入ります

子うさぎからあっという間に大人になり、体の変化や反抗期に悩まされた日々が、うそのように心も体も安定し、おだやかなときが流れる年齢です。

飼い主との生活リズムや心のつながりも深まり、体力も十分にあります。

野生では多くのアナウサギは2歳で寿命を迎えます。強いオスになわばりを追い出され、雨風にさらされたり、けがをしたり、捕食されることで命を落とします。

ペットとして生まれ、出会えたからこそ、今後の幸せな高齢期のために、健康管理を見直し、たくさん遊ばせてあげて、楽しいときを過ごしましょう。

避妊手術の適齢期
本気で考えよう

　壮年期の1歳半から3歳までが避妊手術に適した時期です。

　体が完成したこの時期が体力もあり、回復も早いからです。

　発情が激しく、一度でも偽妊娠をしたことのあるうさぎは、将来の子宮や卵巣の病気のリスクが高いので、手術をお勧めします。

　また寿命が延びたこともあり、6歳以降での病気の発症率が非常に高いので、女の子の飼い主は手術を前向きに検討しましょう。手術を決断したときは、術後1週間の食事とフンの管理を万全にして乗り越えましょう。

エリザベスカラーは傷口をイタズラしてしまう場合の保護のためにつけます。術後1週間はゆっくり体を休ませましょう。この時期、栄養となる盲腸フンが食べられなくなるので、口へ直接運んで与えます。

ネザーランドワーフ ヒマラヤン

Point
避妊時期の目安を知ってね

4ヵ月〜1歳	成長ホルモンは体の成長に不可欠です。早い時期に子宮や卵巣を取ってしまうと、骨粗しょう症や皮膚や毛のトラブルが多くなるので、体の完成を待ちましょう。
1歳〜3歳	この年齢になると、体力も十分にあります。春と秋は季節的にも体に負担が少ないので、しっかり準備を整えて手術を乗り切るのが理想です。
3歳〜5歳	体力のあるうちに一日も早く決断しましょう。子宮などの病気を発症してからだと、体力が落ちてきます。
5歳以降	体力のあるうさぎなら手術は可能です。術後の回復が遅い場合もあるので、サプリメントなどを与えながら見守りましょう。

※避妊手術については P138 を見てね!

ライフステージ 3歳から5歳の変化を知る

見た目は若々しくても、体力が衰えはじめ、好奇心もうすれてきます。健康のためにも、楽しく遊びながら運動してもらう工夫をしましょう。

ライフステージ 5 **中年期** 大換毛・毛球症に気をつける

❶ 好奇心を思い出させよう

まだまだ、好奇心旺盛なお年頃。

うさぎも家族も、ともに暮らす日々に慣れリラックスした時間が増えてきます。

めりはりをつけて、楽しく運動してもらう工夫をしていきましょう。

筋力、体力を落とさないことで、食欲も湧き胃腸の健康にもつながります。

❷ 専門家にチェックしてもらおう

お世話にも慣れてくると家から出ることが減ります。

3歳前後は激しい換毛期が訪れやすく、ホルモンバランスの変化から体調にも変化が起こりやすい時期です。

うさぎ専門店で、健康チェックやグルーミングを受けたり、動物病院で診てもらい、健康管理に役立てましょう。

健康チェックしようね!ナノくん。

③ 野菜にならそう

中年期以降は、臼歯や胃腸トラブルが増えてきます。

歯やおなかが痛い時には生野菜が助けになります。

これまで与えてこなかった飼い主さんも、生野菜に慣らしていきましょう。

スケールフィーディングボウル

④ サプリメントでプラスアルファ

サプリメントを与えることで、より元気な毎日につながります。老いを受け入れるのもひとつですが、予算をかけられるのであれば、プラスアルファをして健康維持に役立てましょう。

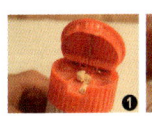

❶ ピルクラッシャーで半分に
❷ パウダー状にする
❸ おやつにまぶして
❹ おいしく食べさせよう

パネルウォーマーでぽかぽかと。

⑤ 寒さ対策

3歳を過ぎると、代謝が衰えてきます。今まで以上に部屋の温湿度管理や換気をこまめに行いましょう。すきま風が入ると、いろいろな病気を発症しやすくなります。

パネルウォーマーは1年中使えるやさしい温かさ。クーラーの効いた室内で、カーディガンを羽織るようなサポートになります。3歳を過ぎたら、必ず用意しましょう。

Point
3歳からの適温

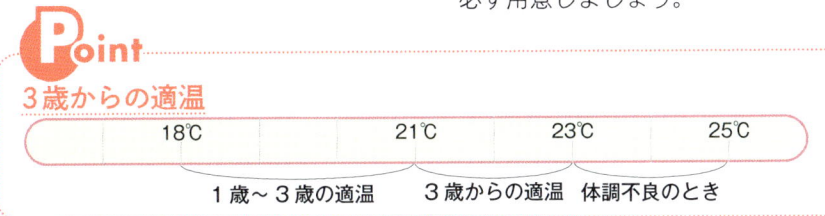

18℃	21℃	23℃	25℃
	1歳〜3歳の適温	3歳からの適温	体調不良のとき

ライフステージ 5歳から8歳のお世話と注意点

見た目にもわかる老化が進行してきます。老化のサインを見つけたら、サポートをしながら長寿を目指しましょう。

ライフステージ 6 **高年期** 老化との戦い

老化のサイン❶ 遊ばない

遊び場に出しても、すぐに横になってしまい、寝てばかり。足腰や軟骨の老化が原因していることが多いので、段差を少なくして、けがに注意しましょう。

休憩が多くても、楽しくて幸せな時間です。

対策 老化に負けないサプリメント

酵母の力

ビオネルジーペッツクラブ（メディマル）

ビオネルジーは、新陳代謝の衰えたうさぎの新しい細胞を作る手助けをしてくれるサプリメントです。全身の助けになります。

ケイ素の力

シリー・ケイ（世田谷サルーテ）

地中に多く含まれるケイ素は、足腰、軟骨、血管、皮膚のはりなど老化で失われがちなうるおいを取り戻す助けになります。

老化のサイン❷ 軟便が目立つ

運動量の減ったうさぎに、若い頃と同じ高カロリー食を与え続けていると、消化に負担がかかります。軟便は栄養過多のサインです。

食生活を見直し、量を減らしたり、ヘルシーなフードを混ぜるなど工夫し、牧草をたっぷり与えて体質改善をしましょう。

軟便がお尻にこびりついた様子。

対策　軟便対策

繊維をたっぷりとること。おなかを冷やさないようにすることが大切です。
牧草をあまり食べないうさぎは、奥歯に異常がないか病院で診てもらいましょう。

牧草	保温	サプリメント
数種の牧草で食欲アップ	遠赤外線で優しく保温	粘膜強化と消化をサポート

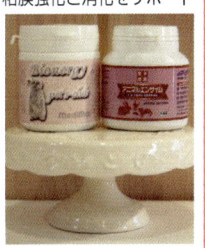

牧草嫌いな子には固めた牧草「ナチュラルファイバー（織光商事）」などを与えてみましょう。

パネルウォーマー（三晃商会）

左・ビオネルジーペッツクラブ
右・アニマルエンザイム

老化のサイン❸ 白内障

高齢期には目のトラブルが多発します。白内障はうさぎの持病といえるほど発症率が高く、飼い主が気付かないだけで若い頃から進行している場合が多く、5歳〜8歳で気付くレベルに達します。完治はしませんが、涙が増えたり、充血していないか、定期的に病院で診てもらいましょう。視力が衰えるので、段差をなくすことが大切です。

白内障は長生きのしるし。うさぎはまだまだ元気に生活していきます。悲観せず前向きに楽しく過ごしましょう。

26

ライフステージ 8歳以降の長寿期のお世話

8年以上長生きするうさぎが増えています。一日一日、一緒に過ごせる幸せの時間を大切にしていきましょう

ライフステージ 7 長寿期 介護の覚悟と長寿の幸せ

穏やかな長寿期の うさぎとのふれあい

駆け抜けるように一緒に過ごし、気が付けばおじいちゃん、おばあちゃんうさぎになった我が子。

他人には老いたうさぎに見えても、飼い主にとっては、赤ちゃんのときより、子どものときより、いっそう心が通うかけがえのない存在となっているでしょう。

長寿期のうさぎのほとんどはそれまでのプライドがすーっと消え去り、若いころの反抗的な態度や、やんちゃさに苦労した日々をなつかしく思うほど従順になります。

人とうさぎが暮らした歴史があるからこそ存在する幸せの時間です。

いたわりPoint ❶ お顔乗せ

足腰が衰えると、うさぎは顔を何かに乗せて休みたがります。あごを乗せやすい位置に、フード入れやおもちゃなどを置いてあげましょう。

あごを乗せるものを用意

いたわりPoint ❷ バリアフリー

健康に過ごしてきたうさぎでも、小さな段差やステップでケガをすることが増えてきます。バリアフリーの環境に変えていきましょう。

ステップや高さのあるハウスをなくしましょう。

　8歳を過ぎたうさぎ達の老化の速度はまちまちです。状態に合わせたくつろぎの環境作りが大切です。長寿のうさぎ達の暮らしをのぞいてみましょう。

まゆちゃん（8歳）

　老化が進み、足腰もかなり弱くなってくると、胸を張った姿勢での食事がつらくなってきます。給水ボトルの位置を低く設置ししたり、牧草やフードなどは、首を動かすだけで届くような工夫をしてあげましょう。

リック君（11歳）

　運動量が激減するため、代謝も落ちてきます。体が冷えないように保温してあげることが大切です。1日数回だっこをして、数分間体の向きを変えたり、優しくマッサージをしたりすることで、血行をよくし、筋肉が衰えないようにサポートしてあげましょう。

さく蔵君（11歳）

　足腰の老化により、うさぎは自分でうまくグルーミングができなくなります。急激に毛は汚れ、ダニもつきやすくなるため、全身の毛をカットすることもおすすめです。毛に栄養を取られず、清潔も保てるため、うさぎも快適な表情を見せ、元気が出てきます。
　その日の体調を見ながら、少しでも運動をさせることも大切です。

うさぎのライフステージ

四季の過ごし方〜春
恋と換毛の季節

春は冬毛から夏毛へと換毛期に突入します。とくに春は、冬の疲れが出やすいため、健康管理も万全にしましょう。こまめなグルーミングを！

恋の季節
野生では繁殖期に

春は恋の季節です。野生では繁殖期の真最中。室内で温度管理されているうさぎも、春は活動が活発で、発情が激しくなることがあります。

換毛期は
皮膚トラブルに注意

換毛期は皮膚トラブルが多発します。首の後ろやしっぽの付け根の毛が抜けていたり、フケが出ていたら、ダニや真菌の可能性があります。

とくに春はダニが多く、早めに治療をしないと、梅雨に大増殖し、治りが遅くなります。早期発見、早期治療を心がけましょう。

首の後ろや
しっぽの付け根に
息をふっ、と
かけてチェック

注意！

温度差に気を付けよう　エアコンスイッチのONとOFF

人間にとって、春は快適な季節のため、温度差を見落としがちです。朝晩は冷え込むこともあるので、温度管理に気を付けましょう。

冷え込む朝	ぽかぽか日中	冷え込む夜
ON	OFF	ON

四季の過ごし方〜夏
暑さとの戦い

うさぎは暑い季節が苦手です。とくに夏は、温度管理に細かく気を配ってあげましょう。

うさぎの体感温度

人間とうさぎでは温度の感じ方が全く違います。「暑くないかな？」と思ったら、イラストのような格好をしてみてイメージしてみましょう。

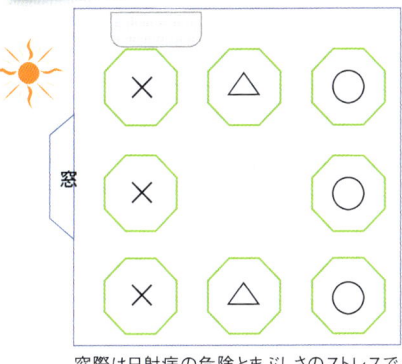

エアコンとケージの位置

窓

窓際は日射病の危険とまぶしさのストレスでうさぎの負担になります。

対策　室内の暑さ対策

暑い時期は、24時間エアコンを使って温度管理してあげることが必須です。飼い主が留守にするときも、必ずつけておきましょう。

うさぎは、耳の内側からしか体温を逃すことができないのですが、品種改良により耳が短くなっています。また垂れ耳の品種も増えています。野生のウサギのように地中に隠れることができないので、飼い主が責任感をもって管理していかないと、命を左右することにもなりかねません。

Point
快適温度を知ろう

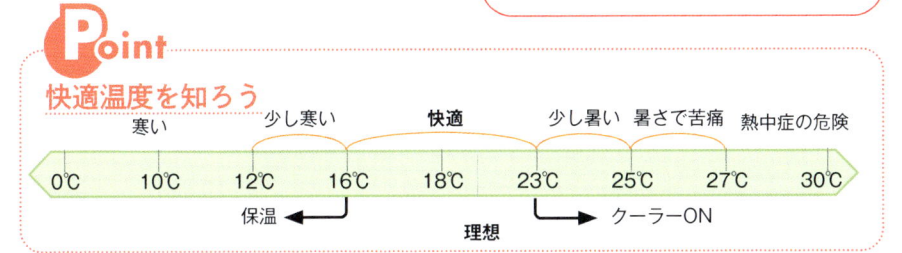

| | 寒い | 少し寒い | **快適** | 少し暑い | 暑さで苦痛 | 熱中症の危険 |

0℃　　10℃　　12℃　　16℃　　18℃　　23℃　　25℃　　27℃　　30℃

保温 ←　　　　　　　　　クーラーON

理想

四季の過ごし方～秋
冬に備える食欲の季節

暑い夏が過ぎてやってくる秋は、冬に向けてモリモリ食欲が出てくる季節です。フードの与え過ぎには注意しましょう。

新鮮で香り高い初刈り牧草

夏に刈り取られ、乾燥された「初刈り」牧草が販売される季節です。新鮮で香り高いチモシーはうさぎにとって最高のごちそうです。たっぷりと食べさせてあげましょう。

Photo by ©Fuku.St http://www.photo.zekkei.com

さあ、冬支度冬毛への換毛

夏毛が抜け落ち、冬の寒さに備えた換毛が始まります。毛の密度が減ると、体が冷えやすくなるので、グルーミングはもちろんのこと、朝夕の冷え込みに注意して保温対策をスタートしましょう。

また、抜けちゃうっ？

注意！

秋は、肥満に気を付けよう

秋になると、うさぎは夏の疲れから回復して、本来の体力を取り戻し、冬に備えて脂肪を蓄えやすくなります。野生のアナウサギの場合は、冬は食べられる草が減って粗食になりますが、ペットのうさぎは冬も安定した食事ができます。肥満にしないために、朝と夜、決めた量を守って、フードの与えすぎに注意しましょう。

太り過ぎは病気のもと。肥満に気を付けよう。

四季の過ごし方〜冬
寒さ対策も大切

うさぎは冬の寒さも苦手です。室内をあたたかく、すきま風を防ぐ対策をして、保温には十分気を付けましょう。

寒さ対策は万全に

ケージの上に少し大きめの板を乗せ、その上からカバーをかけて、布のかじかじ防止をしながら、すきま風対策をします。

かじかじ防止をしっかりと

注意！

布やコードをかじられないような対策を忘れずにします。パネルウォーマーは、おしっこやボトルからたれた水に接触しないようにシーツとシーツの間にはさんで使いましょう。

うさぎのライフステージ

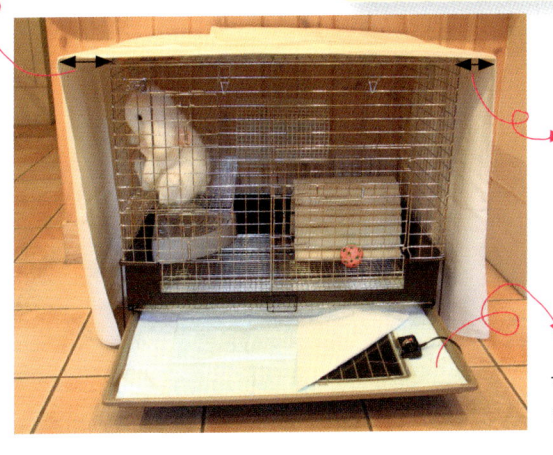

かじかじ防止のためのすきまは5cm以上が目安。

トレーにパネルウォーマーを敷いて、おなかから温めます。

対策 忙しい年末年始の心得　里帰りや旅行のために預け先を探しておく

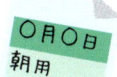

○月○日 朝用

○月○日 夜用

うさぎはストレスに弱い動物です。乗り物酔いをするうさぎが多いので、遠出をさけ、里帰りや旅行のときには、うさぎ専門のホテルや動物病院に預けましょう。一緒に連れて行きたいと思うかもしれませんが、行った先でアイドルになってかわいがられると、さらにストレスがかかってしまいます。

預け先を決めたら、何度か連れて行き、その環境のにおいや空気に触れさせておくだけでも、預かり当日の不安はぐんと少なくなります。

預けるときは、ジッパー袋に1回ごとのフードやサプリメントを用意し、いつも飲ませている水も忘れないようにします。うさぎはとてもデリケートなので、しっかり準備することが大切です。

四季の過ごし方～梅雨
つらい「湿度」との戦いの季節

もともと湿度の低いヨーロッパに生息していたうさぎにとって、
日本の梅雨は健康をおびやかす危険な季節です。

対策 ① 食べ物のカビ対策

①残りを捨てる→②よく洗う→③しっかり拭く
→④新しく入れる

食べ残したフード、牧草、水を、朝
と夜の1日2回きれいに入れ替えてい
ますか？　当たり前のようで、継ぎ
足してしまう飼い主が多くいます。
　梅雨の時期には、目に見えないカビ
が繁殖して、中毒を引き起こすことが
あります。突然死の隠れた原因でもあ
るので、十分気を付けましょう。

oint

環境のカビ対策

　トイレ、ケージ、木のハウスやお
もちゃもしっかり除菌しましょう。
人間用のアルコールなどには、うさ
ぎに有害な成分が含まれているた
め、うさぎ用の安全な除菌スプレー
を使いましょう。

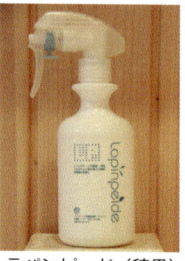

ラバンピード（穂果）

対策 ② 湿度対策

　除湿機を使うのが一番です。湿度
が60％を超えないように管理します。
毎日、換気も忘れずに。

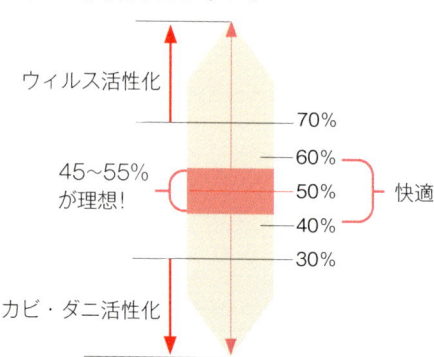

ウィルス活性化

45～55%
が理想！

快適

カビ・ダニ活性化

70%
60%
50%
40%
30%

四季の過ごし方〜番外編
季節の便利グッズと対策

春 うさぎの体とグッズにはラビハーブで虫除け、お部屋にはハーブ de 虫除けを。エアコンの中にはカビやばい菌がいます。クリーニングして清潔に。

ラビハーブ

ダニとりマット

夏 もしもの停電に備えておきたいグッズ。

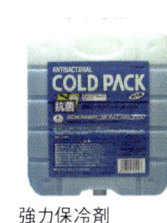

強力保冷剤

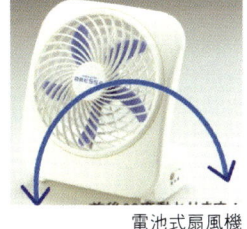

電池式扇風機

秋 秋は牧草の収穫時期。新鮮な牧草をたっぷり与えます。冷え込み対策でハウスを用意。

わらのハウスは寒さ対策に

冬 汚れたグッズは買い替えます。暖房器具の設置は確実に行います。

新しいトイレは清潔!

使う前に暖房器具はチェックをしましょう。

梅雨 梅雨時は人もうさぎも何となく憂鬱なもの。そんな季節を気持ちよく乗り切りましょう。

フードキーパー

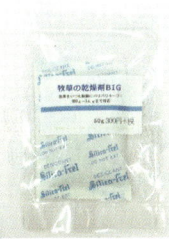

牧草の乾燥剤

除菌にはラバンピード

上から ふーっ

首筋に息を吹きかけてフケチェックを!

33 季節のケア⑤

ペットホテル・入院などお泊りの心がまえ

旅行、急な体調不良で預ける必要があるとき慌てないために
必要なもの、準備について知っておきましょう。

 ## 準備するもの

✣ 1食ごとに小分けにした食事

ジッパー付き袋に、フード、サプリなどを混ぜて準備します。

ホチキスで止めると、ホチキスの芯の混入の危険があり、セロテープだと開封時こぼれるリスクもあります。

日々の食事を間違いなくあげてもらうためにも、シンプルに日付、朝夜表示をして準備するとベストです。

✣ 日常のリズム

写真のように、朝、昼、夕方、夜の流れと大好物を簡潔にまとめたメモがあると便利です。

細かい内容を伝えたい場合は、プラスαで準備することをおすすめします。

預ける時の持ち込みフード。

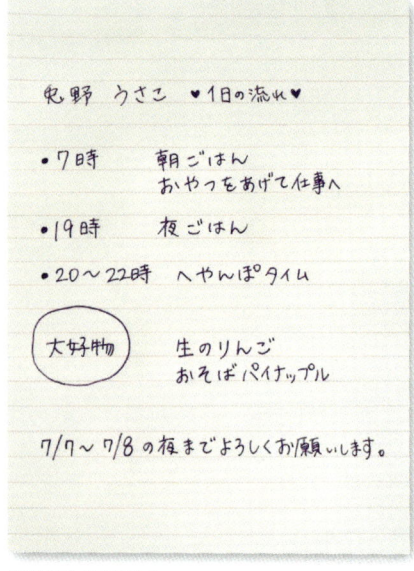

預ける時のメモ書き

預ける日

　うさぎに不安を与えないことも重要です。

大丈夫かな…

ごめんね…

元気でね…

などと、涙ながらに別れを惜しんで去っていくと、残されたうさぎは不安でいっぱいになります。

　「お泊り楽しんでね！」、「入院すれば元気になるよ」など、明るく安心感を与えながら預けることを心がけましょう。

うさぎのライフステージ

Point

気を付けたいこと！

　うさぎを預けるとき、はじめての場所でないことが重要です。

　病院、うさぎ専門店、うさぎホテルいずれの場所であっても、一度はうさぎと一緒に訪れてその場所の匂いやスタッフの声など環境を知ってもらいます。

　自宅に戻ってほっとする経験があると、知らない場所ではないので緊張がほぐれやすく、お泊り中のホームシックを軽減できます。

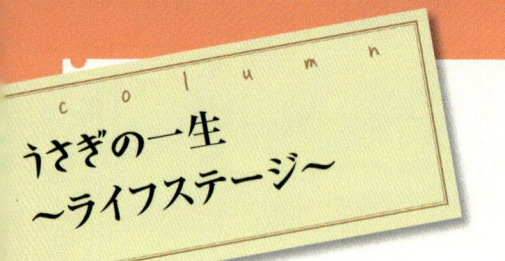

うさぎの一生
～ライフステージ～

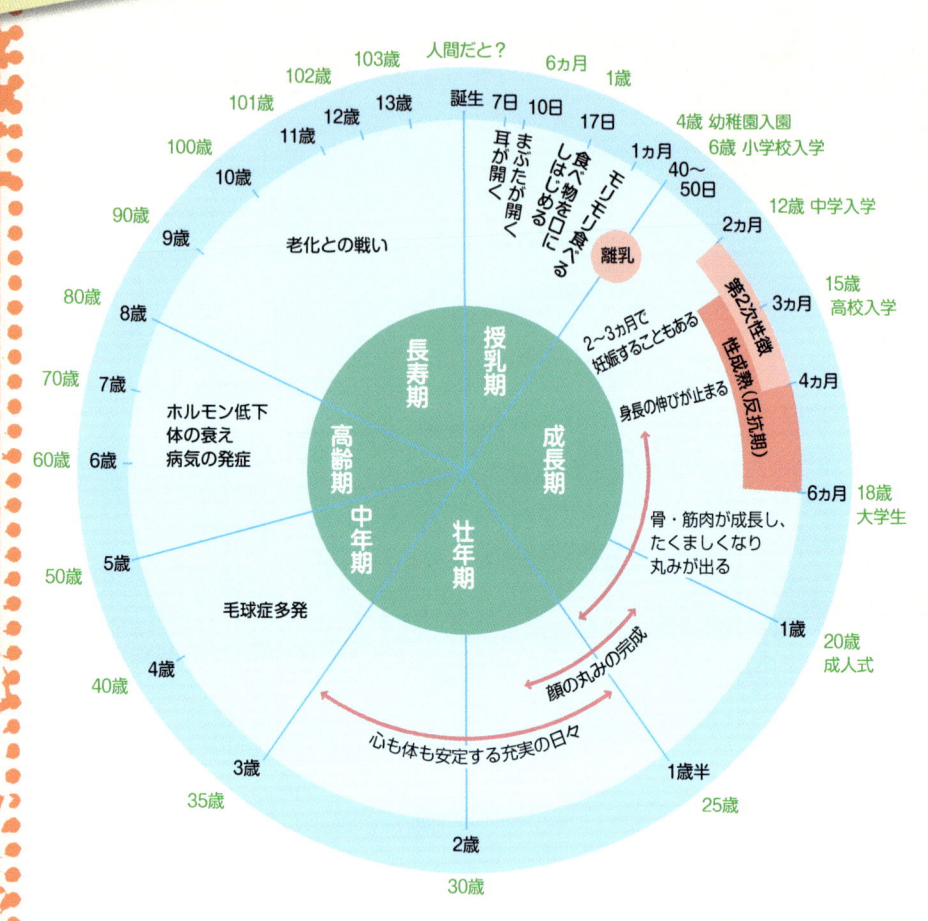

人間だと？

103歳　6ヵ月

102歳　1歳

101歳

100歳

90歳

80歳

70歳

60歳

50歳

40歳

35歳

30歳

誕生　7日　10日　17日

13歳　12歳　11歳　10歳　9歳　8歳　7歳　6歳　5歳　4歳　3歳　2歳

耳が開く　まぶたが開く　食べ物を口にしはじめる　モリモリ食べる

4歳 幼稚園入園
6歳 小学校入学
12歳 中学入学
15歳 高校入学
18歳 大学生
20歳 成人式
25歳

1ヵ月
40～50日
2ヵ月
3ヵ月
4ヵ月
6ヵ月
1歳
1歳半
2歳

離乳

第2次性徴
性成熟（反抗期）

老化との戦い

ホルモン低下
体の衰え
病気の発症

毛球症多発

長寿期　授乳期
高齢期　成長期
中年期　壮年期

2～3ヵ月で妊娠することもある

身長の伸びが止まる

骨・筋肉が成長し、たくましくなり丸みが出る

顔の丸みの完成

心も体も安定する充実の日々

　この年齢表は、ブリーダーとしてうさぎにかかわり、過去のデータにとらわれず、性の目覚め、安定した繁殖期、心と体の成長、老いを長い年月をかけて観察し、人間の一生と比較したものです。

　生後3カ月前後で妊娠してしまううさぎがいます。人間でいえば、中学から高校の女の子が、まだ未熟な体で子どもを生むのと同じことです。このような見方もしながら、うさぎとの暮らしに役立ててください。

うさぎのお世話術

～毎日のお世話で健康管理～

うわ～　かわいい！

ごはんだよ～！

おやつ、おいしいよ！

最初の１週間
飼育環境とふれあい

はじめての移動、はじめての家、新しい環境。うさぎは緊張の連続です。
最初の１週間のお世話のコツを知っておきましょう。

Step1 ケージの準備ができるまでキャリーで我慢

ケージは迎える前に準備しておくのが理想ですが、気に入ったうさぎと出会って、急にやってくる場合もあります。ケージの組み立てには、慣れないと時間がかかります。そのあいだ、かわいそうだからと広い室内に出してしまうと、組み立てたケージに入れたとたんに「こんな狭いところはいや！出して〜！」と、ケージがうさぎにとって、生涯閉じ込められる場所になってしまいます。

しばらく我慢させてキャリーに入れておき、新しいケージに入れてあげる

早くだして〜！

と、「わーい！　広いお家だ〜♪」と思ってくれます。小さなことのようですが、はじめて家に連れて帰るときの重要なポイントです。

最初の１週間は、「ケージの中が一番安心できる場所」と認識させるために、ケージの中で過ごさせましょう。

Point

おしっこのにおいで安心する

お店を出る前に、うさぎのおしっこのにおいが付いた切れ端をもらうようにしてください。新しい環境にドキドキしているうさぎの心を落ち着かせる魔法です！

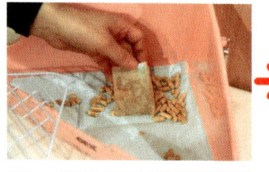

おしっこのにおいが付いた切れ端をトイレの網の下に入れる。

うさぎをトイレの上に乗せる。

自分のにおいに安心する。

Step2 ３日目からコミュニケーションをスタート

　やさしく名前を呼んだり、おでこをなでてあげたり、少しずつコミュニケーションをスタートします。

　おやつが一番のふれあいになります。指先でつまんだおやつを口元に持っていきましょう。食べてくれなくても大丈夫。フード入れにそっと置いておけば、においが付いているので、パパやママがくれたことがちゃんとわかります。あせらず、ゆっくり♪です。

「おやつ♪」とやさしく声をかけて、おねだりされてもあげすぎないで！

Step3 １週目からはだっこ

　１週間たったら、うさぎの様子を見ながら、だっこをしてみましょう。もともとうさぎはだっこが嫌いな動物です。疲れさせないためにも２～３分でケージに戻しましょう。１日何度もだいたり、時間を決めてしまうと、だっこ嫌いになります。たくさんのコミュニケーションの中でときどきだっこする程度に。この時期は家族を好きになってもらうことが一番大切です。

＊だっこの仕方→P102から見てね

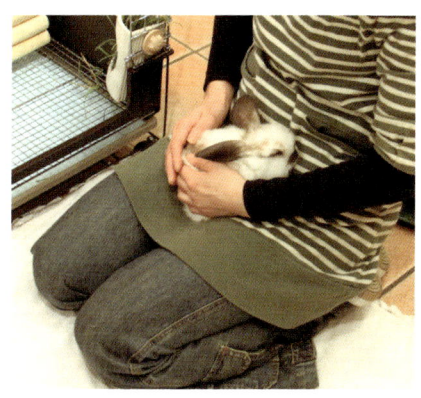

なでなで10回、おやつ２回。だっこは1日1回で十分です。

うさぎのお世話術

Point

トイレの位置をお店でチェック！

　うさぎは、トイレを自然に覚えることが多く、母うさぎと同じ場所をトイレの位置として記憶しています。お店で、ケージの中の配置をメモしておき、それを再現すれば、うさぎも安心します。またしつけも楽です。

1週間が過ぎたら サークルデビュー

だっこするとき以外はケージの中に入れていたうさぎを、1週間を過ぎた頃から、サークルに出してあげましょう。

Step1 広いサークルで遊ぶことはうさぎにとって最高の楽しみです

パパやママが与えてくれる幸せだとわかってもらうためにも、だっこしてサークルに入れてあげます。

だっこの後にはうれしいことが待っている繰り返しで、だっこを受け入れるようになります。

30分から1時間サークルで自由に遊ばせてあげたら、だっこしてケージに戻します。

悲しい気持ちを解消させるために、ケージに戻したときにおやつをあげましょう。だっこしてケージに戻った後は、幸せタイムにしてあげます。

だっこ → サークル

そっとだきよせて。

サークル → ケージ → おやつ

けがのないように降ろしましょう。

Step2 反抗期は無理をしない

しだいに子うさぎから大人へと成長し、反抗期に突入します。この時期に無理にだっこしたり、コミュニケーションをとろうとすると、ますます関係が悪化します。

生後4ヵ月ごろからケージとサークルをつなげて、運動量を増やすようにして、見守りましょう。遊び終わったら、

反抗期には自由にのびのびストレス発散。

おやつをフード入れに入れて、ケージに入ったところで扉を閉めましょう。

1日のお世話の流れ

ケージの掃除、ごはん、水、毎日のお世話は1日2回、きちんと続けることが何よりも大切です。

朝 健康チェックとごはん

　3つのチェックをしてから、掃除＆ごはんの時間にしましょう。仕事に行ったり、外出する日は、その日の天気を確認して室温管理をします。

❶ 元気かな？
❷ 食べたかな？
❸ ウンチいっぱい？

昼 おやすみタイム

　個体差はありますが、午前10時から午後5時ごろまではぐっすり眠っています。家に迎えてはじめての休日。この時間帯に眠ってばっかりいるのは、もしかして病気かも⁉と、不安になる飼い主が多くいます。体調不良のサインを見極めるのはむずかしいことですが、一度うさぎを起こしておやつをあげたり、サークルで遊ばせてみましょう。元気なら、ただ寝ていただけだとわかります。

夕方 運動タイム

　うさぎが目覚めたら、サークルに出して運動させます。しばらくすると、コロコロウンチをするはずです。最初は目覚めの盲腸フンが出ることもあります。
　1日1回は必ず運動させてあげてください。

夜 健康チェックとごはん

　朝と同じように。掃除とごはんの世話をします。

❶ 元気かな？
❷ 食べたかな？
❸ ウンチいっぱい？

Point

うさぎの眠り方

　うさぎは目を開けたまま眠ることができます。鼻がヒクヒク動いていなければ、おやすみタイム。そっと寝かせておいてあげましょう。

うさぎのお世話術

朝と夜の健康管理
うさぎの体調を見る

ごはんの食べ方や水の減り方、おしっこやフンの状態を見て、うさぎの体調がわかるようになりましょう。

ごはんとトイレ掃除は必ず1日2回

体調不良の早期発見のために。朝と夜、半日ごとのお世話は欠かせません。うさぎは突然胃腸の病気を発症して進行することがあるので、1日1回のチェックで済ませていると、気付いたときには重症になることが多いのです。

❖ 食事

朝入れたフードが減っているか、夜入れたフードが減っているか、その都度確認し、残っている場合は捨てて、新しく入れます。朝と夜、決めた量を与えることで、食欲の波もわかります。

たくさん残しているのは体調不良の

サインなので、病院で診てもらいましょう。

❖ トイレの掃除

朝から夜、夜から朝。12時間おきにフンをしているかを確認しましょう。フンに体調があらわれます。量が少なかったり、形がいびつなときは、すぐ病院へ連れて行きます。

朝、ピカピカになったケージ。

夜には散らかり放題……

Check!

84

おしっこチェックを覚えて 大切なうさぎの健康管理

うさぎのおしっこの色や状態で、健康かどうか、病気のサインも見つけられます。血尿が出たら、病気のサイン。注意深く見ておきましょう。

食べ物で変わる おしっこの色

特に子うさぎはよく食べるので、色つきのおしっこが出やすくなります。将来も役立つので、市販の尿試験紙で潜血反応をチェックしてみましょう。ペットシーツにリトマス紙を押し付ければ確認できます。血尿だったときは、すぐ病院に行きましょう。

※トイレにまつわる大切な話　P96も見てね！

理想	栄養満点
黄色	白っぽい

緑の濃い野菜や牧草など食べ物の影響	
赤	オレンジ

短時間でシャーッ!!と気持ちよさそうに透明感のあるおしっこをしていれば大丈夫。

うさぎのおしっこは後ろに出るよ!

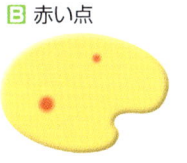

うさぎのお世話術

❖ 病気のサイン ❖

膀胱炎や子宮トラブルのサイン

Ａ 赤　　　Ｂ 赤い点

膀胱炎の悪化や尿砂、結石のサイン

Ｃ おうど色　　　Ｄ 所々におうど色

このような尿が出たときには、病院で治療を受ける必要があります。女の子は子宮疾患の可能性があるので、避妊手術を決断できればベストです。Ａのような血尿が続くと、貧血によって手術ができなくなることもあるからです。

ウンチの秘密①
食べるウンチ、盲腸フン

うさぎはコロコロのさよならウンチと、ブドウの房の形をした食べるウンチ「盲腸フン」の2種類のウンチをします。

回盲弁

盲腸

胃

→ 粗い状態で、回盲弁にたどり着いた繊維は、コロコロウンチに。

→ 粒子になって回盲弁にたどり着いた発酵可能な繊維は、盲腸へ送られ、バクテリアによって分解発酵されて、盲腸フンになる。

コロコロウンチと盲腸フンのしくみ

　うさぎは草食動物です。草や木の皮などの硬い繊維はそのままでは消化できないため、盲腸を発達させました。盲腸には硬い繊維を分解し、発酵させる多くのバクテリアがいます。発酵して、薄い粘膜に包まれた便を盲腸フンといいます。アミノ酸バランスが優れており、たんぱく質は26％以上、ビタミンも豊富です。うさぎにとって健康維持に欠かせない食事になります。

　腸内細菌のバランスが崩れると、盲腸が異常発酵を起こすなどさまざまなトラブルが発生します。健康な盲腸フンを得られなくなると、うさぎは栄養不足となり、免疫力が低下します。盲腸フンは大切なものなのです。

盲腸フンで健康チェック

野生のウサギと比べ、食生活に恵まれているペットのうさぎは、盲腸フンを残すことがあります。残した盲腸フンを見つけたら、量や形をチェックして健康管理に役立てましょう。

コロコロウンチ

盲腸フン

うさぎのお世話術

バランス100点

きれいなブドウ型

表面はつやがあり、コクと深みのあるクサさ！

⬇

腸内細菌バランス100点の栄養満点盲腸フン

軟らかいけど持てる

もったりやんわり型

栄養過多で腸に負担がかかっている可能性が。フードの種類や量を見直し、牧草をたっぷり与えて、今よりヘルシーな食生活を！

悪化 ➡

ペットシーツに水分が染み込む

もったりべっちゃり型

腸内細菌のバランスが崩れているので、病院で診てもらいましょう。食生活を本気で改善するとともに、おなかを冷やさないように保温しましょう。

Point

いつもたくさん残っている

毎朝2〜3個以上の盲腸フンが残っているなら、フードの量を減らして牧草を増やしましょう。ときどき見かけるくらいが、食事バランスがよい証です。

VS

一度も見たことがない

見た目にも健康的であれば、盲腸フンを残さないことは理想的です。骨がごつごつあたり、痩せている場合は、盲腸フンで必死に栄養を補っている可能性もあるので改善を。

40 コロコロウンチ

ウンチの秘密②
コロコロウンチで体調チェック

ウンチを見ておくことも、健康管理のひとつです。色や形、硬さと体調との関係を覚えておくと、病気を早期発見できます。

コロコロウンチは
がんばりやさん

86ページで紹介したしくみでは、回盲弁で、「お前は盲腸には行けないぞ！」「コロコロウンチコース行きだ！」と追い出されるのは粗く大きな繊維です。盲腸に行かずに排出されるコロコロウンチにも、胃腸を動かすという大事な役割があります。

【コロコロウンチの役割】

● 食欲増進とストレス軽減になる。
● よくかむことで、歯の健康に役立つ。
● 胃腸の動きを活発にし、盲腸フンになる繊維を移動させる力になる。
● 飲み込んだ毛を粗い繊維にからませて、排出させる。

毛の排出もコロコロウンチの仕事。

注意!

危険のサイン！
粘膜便

粘膜便にはいろいろな形があります。
● カエルの卵みたい
● ゼラチンみたい
● ウンチがネバーッと包まれている

こんなウンチをしていたら、すぐ病院に連れていきましょう。腸炎は数日で重度になることがあります。軽度、中度の腸炎が慢性化するうさぎもいます。大きな病気が隠れていて、免疫の低下によるサインかもしれません。必ず病院で、全身の健康診断を受けて、しっかり治療しましょう。

Point

あわてないで！
ギョウ虫

もしウンチにギョウ虫を見つけたら、すぐに駆虫薬を飲ませず、数日見守ってください。多くのうさぎの腸内にはギョウ虫がいるといわれています。居心地が悪くなって出てきた場合、体調不良のサインかもしれません。そんなとき、先に駆虫薬を飲ませてしまうと、本当に調子が悪くなってしまうことがあります。胃腸の治療や健康の確認ができてから、駆虫しましょう。

※胃腸のトラブル②下痢・腸炎　P126も見てね

✚実物大ウンチチェック

茶色くて丸くて大きなコロコロウンチ。

⬇

ほぐすとしっとり。

⬇

100点ウンチ。

薄い茶色と緑のコロコロウンチ。牧草をたくさん食べている証拠。

⬇

ほぐすとパサパサ。

⬇

フードとお水は足りていますか？　やせている場合は改善を。

形がいびつで大きさがバラバラ。

⬇

腸の動きに問題があるかも。

⬇

牧草をたっぷり与え、高カロリー食は控えて、免疫アップのサポートを。

危険！

つながりウンチはグルーミング不足。

⬇

毛球症予防にペトロモルト3cmとたっぷりの牧草を与え、こまめにグルーミングを！その後の体調管理をしっかりとしましょう。

黒くテカテカした涙型ウンチ。

⬇

野菜・果物・生牧草など水分が多いものを与えすぎていませんか？　涙型ウンチは、腸炎のサインです。食事バランスを見直しましょう。

小さくてゴマ粒の硬いウンチ

⬇

命にかかわるうっ滞です。すぐに病院へ。

家では保温しながら、アクアコールを与え、脱水予防をします。

うさぎのお世話術

※胃腸のトラブル　P122〜P127もみてね

89

バランスのとれた食生活
健康に育てるために

うさぎの日々の健康を支えてくれる食事。新鮮で高品質なものを選び、うさぎのために大切な時間にしましょう。

✛ バランス GOOD な幸せレシピ

\+

牧草　たっぷり2種類以上与えましょう。牧草が食べられない、食べないうさぎには、ナチュラルファイバーなどで繊維を補いましょう。

ラビットフード　1日2回に分けて、量を守って！ 与えすぎは肥満のもとです。食べきったからといって、追加してはいけません。

\+

\+

\+

30g目安の野菜
数種類をバランス良く1日2回与えましょう。

少しのおやつ
1日に5〜6個。

100点盲腸フン
術後などは口に入れてあげる。

牧草レシピ

　ごはんタイムには、最初に牧草をあげて30分ほど過ぎてから、ラビットフードを与えることを日課にします。チモシーには種類が沢山あるのでメイン牧草＋季節の美味しい牧草をあげて、食べる楽しみも大切に。

ケージに2つの牧草入れを置くのが理想。

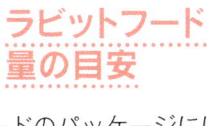
ラビットフード
量の目安

　フードのパッケージには、体重の3〜5%が目安と書かれていますが、体重2ｋｇのうさぎに5%だと100ｇになり、与えすぎになります。　2.5ｋｇ未満のうさぎは小型種なので、30ｇ

子うさぎでも与えすぎは良くありません。
牧草たっぷりに、フードは30〜40ｇでバランスを大切に。

を目安に、牧草、生野菜、盲腸便からバランスよく栄養を補いましょう。

体重	パッケージ通りだと与えすぎ		1 日の適量	ダイエット中
	3%	5%		
1kg	30 g	50g		
1.5kg	45 g	75g	30〜40g前後	20 〜 30 g前後
2kg	60 g	100g		
2.5kg 以上	75 g	125g		

Point

野菜の与え方

　うさぎは食にうるさいため、子どものころからいろいろな野菜を与えて、野菜好きにさせておくことが大切です。体調不良やおしっこトラブルのとき、野菜好きだと命が助かることもあります。1回20〜30gを目安に与えましょう。にんじんやキャベツは太りやすいため、注意しましょう。　野菜は見た目でｇが分かりにくいため、毎回計量しましょう

給餌量を計量できるスケールフィーディングボウル

42

毛球症と予防の食事
ねばつきフリーを意識しよう

きれい好きで、毎日毛づくろいをするうさぎ。全く毛を飲み込んでいないうさぎなどいません。元気な時には、飲み込んだ毛を胃腸の動き（蠕動運動）でしっかり押し出しています。

しかし、特別抜け毛が激しい換毛期や体調を崩しやすい季節の変わり目には、蠕動運動が弱くなり、「毛球症」とよばれる胃腸うっ滞になることがあります。

 ## 大切なのはねばつきフリーを意識することです

▶ **小麦粉＋水＝グルテン（ねばつき）**

> 小麦粉は体に悪い？ → ✕

> 悪いのはねばつき？ → ⭕

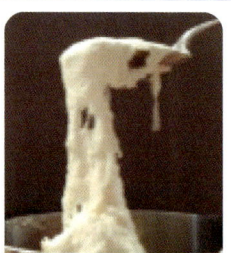

水と小麦粉を混ぜてねばつきが出た様子

小麦や大麦がうさぎの体に悪いわけではありません。

水を混ぜることでねばつきが出る事を防ぐ目的でグルテンフリーブームに火が付きました。中には、小麦の代わりにタピオカ澱粉やポテトパルプが使われ、グルテンフリーでありながらねばつきがあるフードもあります。水と混ぜた時に、ねばつきフリーがどうかが大切です。

もっと大切なのはこまめなグルーミングと水分補給

① 牧草、乾燥野草、水を加えたもの

左：水分普通　　　　右：水分多め

　牧草や乾燥野菜、生野菜などに水を混ぜてもザラザラするだけでねばつきは出ません。そのような状態が理想と言えます。

② ①に少量の毛を加えたもの

左：水分普通　　　　右：水分多め

　驚くことに、ねばつきフリーであっても少量の毛を混ぜたたんにかたまり（集合体）になります。水分が多いと、ほぐれやすいことが分かります。

うさぎのお世話術

少量の毛を飲み込むことで「集合体」＝「毛球」が作られることを防ぐためには

予防策

- ●ねばつきフリーに配慮したフード
- ●生野菜を増やして水分を多めにとる
- ●牧草や乾燥野草など、粗い繊維をたくさん食べてもらう
- ●運動を増やす

Point

うさぎの全身カットで毛球症予防

　うちの子は特別きれい好き。いつ見ても毛づくろいに余念がない。

　そんな子には、全身カットがおすすめです！短くなった毛を飲み込んでも、集合体にならないため胃腸を疲れさせません。うさぎの全身カットをしてくれる専門店を探してみましょう。

羊みたいだね！とろろくん

さっぱりしたね！クイルくん

与えてはいけない食べ物
健康を害さないために

うさぎは草食動物なので、野菜や野草が大好きです。与えるときは、安全で新鮮なものを選ぶようにしましょう。

　うさぎは、野菜や野草などを喜んで食べますが、過剰な農薬や肥料、野良猫のフン尿や、排気ガス、放射能汚染などの心配がないものを選びたいものです。手に入れるのがむずかしいときは、乾燥したものを与えます。

安全な食べ物の例

セロリ
チンゲン菜
ニンジンの葉
サニーレタス
タンポポ
ナズナ
ハコベ
クズの葉
オオバコ

危険な食べ物の例

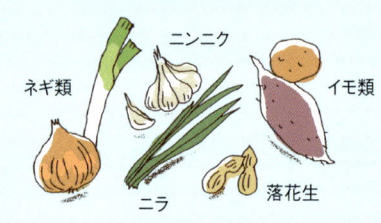

ネギ類
ニンニク
イモ類
ニラ
落花生
パン
チョコレート
ビスケット

ケーキ
牛乳
穀物 Mix
（与えない方がよい）

注意！

間違えないで！

危険
安全
クローバー
（シロツメグサ）
カタバミは
毒草です

野草には、葉の形などがよく似ていても、毒を持つものもあります。確認してから、食べさせるようにしましょう。

　このほかにも、アイビー、パンジー、チューリップ、スイセン、シャクナゲなど有毒な植物は数多くあります。
　穀類は粒子になってフードに含まれている分で十分なので、更に穀物を与えてしまうとカロリー過多になります。
　おやつとして穀類を与えるのはやめましょう。

誤飲トラブルに注意
生活の中の危険

生活の中にはたくさんの危険がひそんでいます。大切なうさぎを守るために、環境を見直して、安心できる環境を整えましょう。

生活環境の中の危険

誤飲トラブルのNo.1は、ペットシーツです。重症になりやすく、危険度が高いので、十分注意してください。なかには、ペットシーツに含まれるポリマーが胃腸の水分を吸収してしまい、閉塞状態になるケースもあります。

トイレやケージのトレーに敷くペットシーツは、必ず端を内側に折り込み、いたずら防止をしてください。

誤飲トラブルのNo.2は、布やマット、カーテン、じゅうたん、タオルなどです。化学繊維は消化されずに、毛球症以上の症状を引き起こすこともあります。ケージの上にそのまま布をかけたり、真横に牧草やフードを寄りかからせると、すぐに引っ張り込んでいたずらを始めて、あっけなく食べてしまいます。ごはんや牧草の味にはうるさいうさぎですが、不思議です。

うさぎのお世話術

誤飲トラブル No.1 ペットシーツ

誤飲トラブル No.2 布類

寒さ対策でケージに布をかける場合は、布がケージから5センチ以上離れるように。

注意！

まだまだ危険がいっぱい

観葉植物　紙類　タバコ　ビニール　コード

コードをかじる＝感電しているということです。テレビやパソコンが……などと言っている場合ではありません。

トイレにまつわる大切な話

うさぎのおしっこやトイレにこまめに気を付けておくと、うさぎの健康管理や事故を防ぐことにも役立ちます。

　うさぎが病気になる大きな原因のひとつに、ペットシーツを食べてしまう事故があります。健康管理（フンの量や尿の色）のためにはとても役立つペットシーツなのですが、事故を起こさないように上手に使いましょう。

はじのピラピラ部分を内側に

浮き上がってこないように

しっかり折り目をつけて敷く

定期的なチェックで健康管理

膀胱炎や子宮の病気のチェックにトライしましょう。

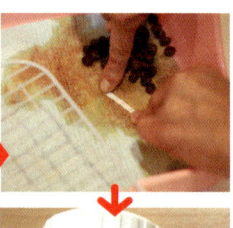

おしっこのしみ込んだシーツに市販の潜血試験紙を押し付け、潜血反応が出ないかチェック。

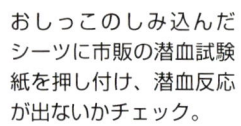

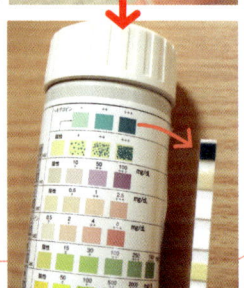

一番上の濃い緑が鮮血反応の色。人間用なのでその他の項目は気にしないで!

Point

トイレを失敗したときは?

❶失敗した場所のにおいを消す。

❷トイレの中におしっこのにおいのついた切れ端を入れておく。

　この繰り返しで解決する場合が多く、発情期を過ぎると、自然にトイレを使うようになる場合が多いので、トイレを外さないで、あきらめずに❶❷を続けましょう。
絶対に叱らないでください。

災害時の健康に備えておいきたいこと

災害時はペットも人間と同じ環境の変化につらい思いをします。健康管理が大切です。大切な家族を守りましょう。

持ち出しの薬などはわかりやすいところへ

災害時は人間と同じようにうさぎも急な環境の変化に敏感になります。人と同じくパニックに陥り、思わぬ行動を取ることも。飼い主の気持ちを敏感に感じ取るので、まず、飼い主が落ち着き普段と変わらない態度で接することが大切です。

体調をくずしたり、壊れた器物でけがをすることもあります。ストレスが苦手で、大きな音に恐怖を感じること もあります。

健康管理のサプリメントや大好きなおやつで元気が出ることが期待できます。

万一のケガの時には寄りかかったり、くつろげるクッションやタオルもあると便利です。

キャリーは清潔を保てるワイヤータイプ（P47参照）が理想です。また、暑さ寒さ対策（P75参照）も出来る限り配慮しましょう。暑い時期は保冷剤、虫除け、電動扇風機。寒さには携帯カイロなど用意は人と同じです。

（P47参照）（P75参照）

うさぎのお世話術

なれた落ち着けるキャリー

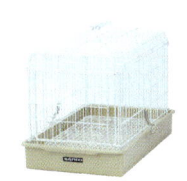

清潔を保てるキャリー

固形になった牧草

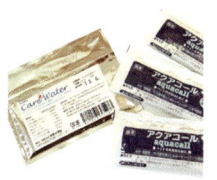

電解質（脱水予防）粉末

ペットとの「同行避難」「同伴避難」は近年特に話題になっています。環境省のHPに詳しく紹介されています。お住いの地域の対応を事前に調べて万一の備えをしておきましょう。

災害時におけるペットの救護対策ガイドライン
https://www.env.go.jp/nature/dobutsu/aigo/2_
data/pamph/h2506/ippan.pdf

ペットの災害対策 [動物の愛護と適切な管理]
https://www.env.go.jp/nature/dobutsu/aigo/1_
law/disaster.html

多頭飼育のすすめ

野生のうさぎは集団で暮らす生き物です。ワーレンという深く掘った大きな巣穴を共有し、適度な距離感を保ちながら生活しています。日本の住環境では1頭飼育が一般的ですが、十分な注意をすれば、多頭飼育には大きなメリットがあります。

**同じ空間に仲間がいる刺激により、様々なメリットがあります！
とはいえ、2頭目をお迎えする前に大切な決意と準備が必要です。**

多頭飼育の心がまえと注意点

＊ケージは1頭に1台準備が必要
＊順番に遊ばせてあげる時間と労力
＊病気になった時の治療費など経済的負担
＊鼻ツン（接触による感染リスク）の知識と予防
＊妊娠と激しいケンカを避けるために避妊去勢は絶対条件
➡うさぎは数秒で交尾をします。妊娠出産は命のリスクがあります。あっという間に多頭飼育崩壊になりかねません。避妊去勢前は特に、一瞬も目を離さない。絶対に一緒にしない事が大切です。
＊子うさぎを2頭お迎えした場合でも、生後3か月で妊娠することもあるので、大人と同じように別々に過ごさせましょう。

**うさぎ同士が触れ合ってけんかをしないように、ケージには十分な
すき間をあけます。
口元、前足、お耳がふれないように気を付けます。準備を整えた上で、
ゆっくり相性を確認していきましょう。**

充分な配慮をした上での多頭飼育のメリット

＊かまってアピールが増えて甘えんぼに
＊新陳代謝アップ
＊まねっこ行動で、牧草や飲水量がアップ
＊運動量が劇的にアップ
＊本当の性格が見えてきます
＊ウンチの質と大きさ比較で体調不良の早期発見に役立ちます
＊ほどよい愛情の分散はストレス軽減になります

遊ばない、動かないうさぎの行動力アップ作戦

1つのサークルを順番に使います。（一緒にいれないこと）
元気なうさぎを先に遊ばせてから、動かないうさぎを遊ばせます。すると…今まで自分の匂いしかしないため、ぐ〜たらしていた子が、新入りのうさぎの匂いに刺激を受けて「ここは僕の（私の）場所！！！！」と、必死に臭い付けするようになり、行動的になります★

Chapter 6

うさぎのだっこと
ふれあい術

「大好きよ」って気持ちでなでなでしてあげるのよ

※子どもに抱っこさせるときは、
必ずおひざの上に乗せてあげて
短時間にしましょう。

うさちゃん、あったか〜い！　かわいいね！

なかよくふれあうために 上下関係をしっかり築こう

親としての責任を果たせる飼い主になるために、厳しさと強さを心に持ち、うさぎに対して常にリーダーでいるようにしましょう。

主導権を渡さない

ごはんも遊びも飼い主が主導権を持つことが大切です。「出して、出して〜。おやつちょうだい！」と、うさぎがケージの扉をカジカジして甘えてくると、ついかわいくて、すぐに駆けつけてしまいがちです。でも、かわいそうに思えても、無視してください。その都度うさぎの要求に応えることは、飼い主がうさぎの僕になっているということです。

エスカレートしてケージに引っかけた前歯が折れる事故も多く起きています。甘やかすことで、健康を失わないよう、強い心を持って接しましょう。

言いなりママ日記

注意！ どうにもならないときは？

さまざまな工夫もしたし、反抗期には心を鬼にして、知らんぷりもしたけど……、掃除のとき・だっこするとき・おやつのときに威嚇してきて、噛み付くうさぎもいます。1歳半を過ぎてもこのような状態が続くとき、コミュニケーションもとれず飼い主もつらいですが、うさぎもホルモンの分泌が激しく、おさえられない発情ストレスに苦しんでいる可能性があります。ホルモンの分泌過多は、男の子も女の子も病気のリスクが高まる傾向があります。つらい選択ですが、避妊、去勢手術をして、心おだやかな日々を過ごすことを検討してください。

自由の1歩が命取り

　自由に遊ばせた場所は、うさぎの縄張りになります。縄張りを持った以上、一番になりたくなり、飼い主は縄張りに入ってくる侵入者となってしまいます。広々遊ばせてあげたければ、サークルを増やして、感謝されるようにしてください。

カジカジ防止対策

　ケージにカバーをかけたり、歯を痛めないように、カジカジする場所すべてにかじり木やガードになるものを付けておきます。さみしいけれど、しばらくガマン！

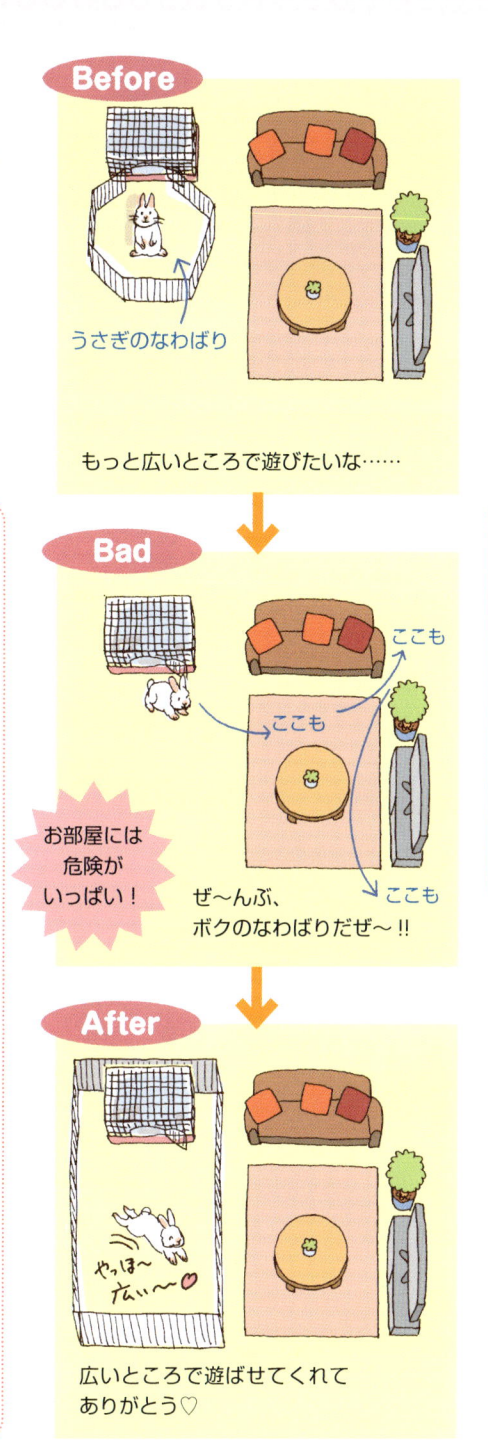

Before

うさぎのなわばり

もっと広いところで遊びたいな……

Bad

ここも

ここも

ここも

お部屋には危険がいっぱい！

ぜ〜んぶ、ボクのなわばりだぜ〜!!

After

やっほ〜広い〜♡

広いところで遊ばせてくれてありがとう♡

だっこの心得と 基本のだっこ術を覚えていこう

病気やけがのときには、うさぎをだっこすることが必要です。勇気と自信をもって、基本のだっこ術を練習しましょう。

だっこが必要なとき

うさぎは本来だっこが嫌いな動物です。でも、病気やけがをしたときに守るためには、だっこが必要です。飼い主のいやしのためでも、うさぎを喜ばせるためでもないのです。はじめはなかなかうまくいかないかもしれませんが、四苦八苦しながらチャレンジするなかで、飼い主の気持ちは必ず伝わります。うさぎを守ってあげられる飼い主になりましょう。

だっこの心得

その1 **勇気と自信を持つ**
本当は自信がなくても、うさぎに不安を伝えず、自信のあるふりをすればOK。

その2 **「ごめんね」は禁句**
「あなたのためよ」の気持ちを持って。

その3 **力を抜いて、深呼吸**
これで、もうあなたはできる！

Point

一度でも成功したら、数日はだっこしないこと！

またやられる……！ の気持ちがだっこ嫌いになる最大の原因です。

Step 1 まずはなでなでから

　最初は、まずおでこをなでることから始めます。慣れてきたら、体全体をなでてあげましょう。

最初のうちはおでこのみ

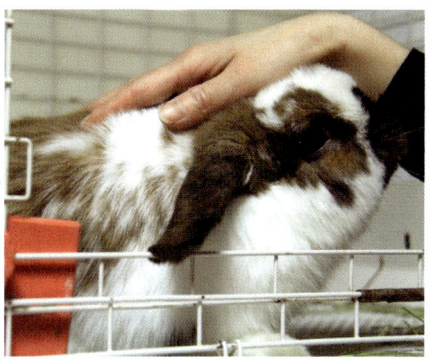

慣れてきたら頭からお尻に向かってなでます。

Step 2 ケージからおひざにピョン♪

　ラビトリーにいるうさぎは、簡単なしつけの繰り返しで、ひざにピョンと乗ってきます。成功すれば、つまかえるストレスを与えずに済むので、ぜひトライしてください。

扉の前で正座。おやつで誘い、自分からひざに乗るのをひたすら待ちます。一度目に時間がかかるのは、はじめての場所だからです。その一歩さえクリアーすると、次からは「ボクの場所」と、おさんぽ気分でピョンと飛んできます。

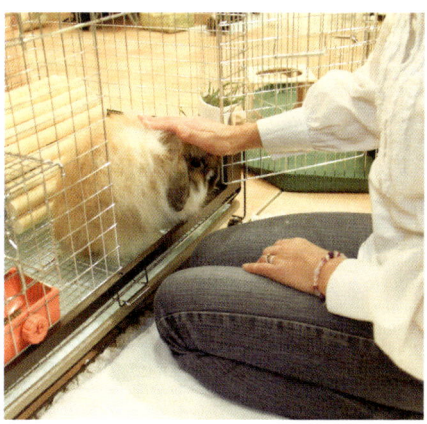

ひざ以外に出ようとしたら、その都度「ダメ」と、短い言葉をかけながら、頭を押さえます。数日繰り返すと、勝手に扉から脱走しない子に育ちます。

だっこ術のポイントは
ケージから出すときと戻すとき

だっこするときは、うさぎに安心してもらうようにすることが大切。だっこの心得を基本に、自信を持ってチャレンジしましょう。

❖ ケージから出すときは、スピードが大切

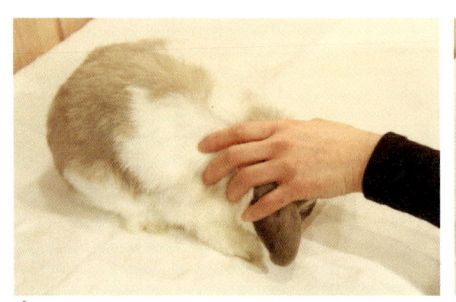

1 左手で頭を押さえ

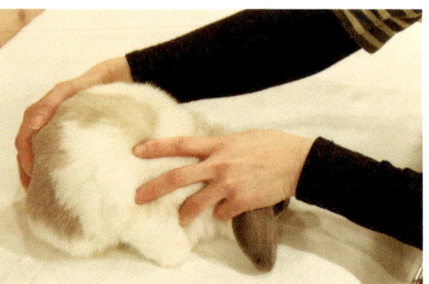

2 右手でお尻を包み

　１〜４までのステップを４秒でやり遂げるのが目標です。扉を開けた瞬間からカウントしながら頑張りましょう！　頭を押さえる時点から、迷わないことです。

「こうかな？」「ああかな？」と思っているうちに、うさぎは捕まえられる恐怖を感じて逃げ回ります。そのほうがかわいそう。つかまえるぞ〜のオーラを出すと、扉を開ける前から気付かれてしまいます。おやつをあげるときのようなリラックスした気持ちで（フリでもOK）チャレンジです！　前ページ「おひざにピョン」作戦も努力を続けてね!!

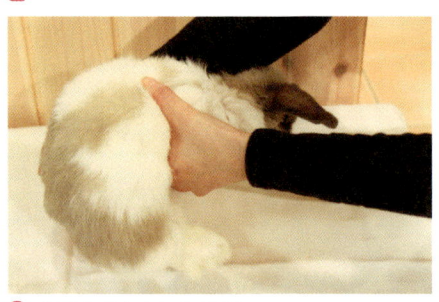

3 左手をおなかに入れて

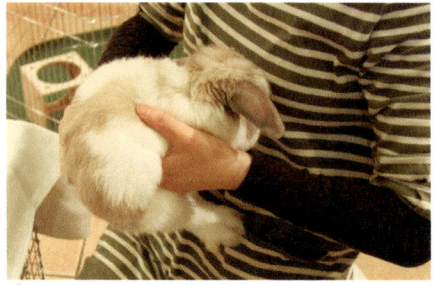

4 すくうように上げて、ひざ上へ

❖ ケージに戻すのは、お尻からがポイント

うさぎの顔をケージに向けると、自分からジャンプして戻ろうとします。しかし、このとき、扉や枠に足をひっかけて骨折したり、背骨を痛めるけがをすることが多いので、お尻から戻すことを習慣にしましょう。

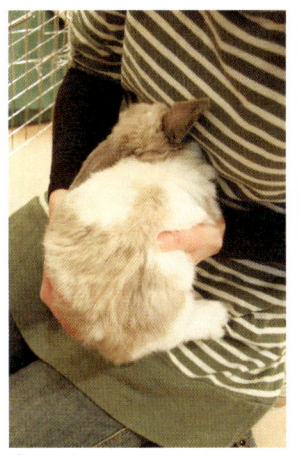

1 左手はおなか、右手はお尻

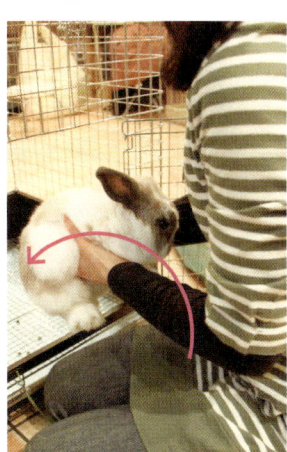

2 円を描くように戻します

3 気付いたらケージの中

Point

おひざの安心だっこが基本です

家族みんなが同じ抱き方をすることで、ひざの上なのに穴にかくれた気持ちになり、安心な隠れ場所と思うようになってくれます。あちこちに頭を向ければ、落ち着かず逃げたい気持ちが強くなります。日々の積み重ねで、だっこを安心できるものに変化させましょう。

リラックスして安心感を与えましょう。

おすわりだっこから 赤ちゃんだっこの方法にチャレンジ

おすわりだっこができるようになったら、赤ちゃんだっこの練習を。赤ちゃんだっこができると、お世話をするとき楽になります。

❖ おすわりだっこ

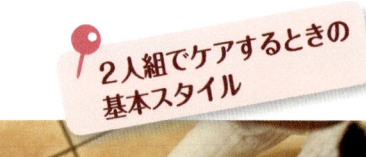
2人組でケアするときの基本スタイル

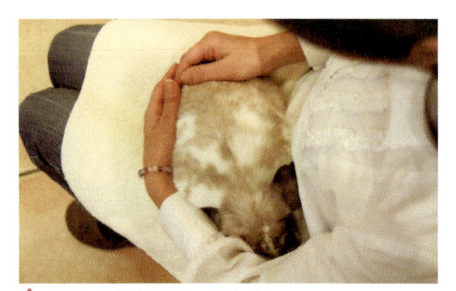

1 おひざの安心だっこから

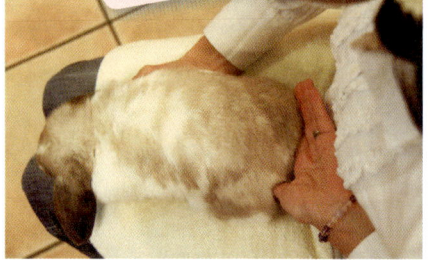

4 右手を前足の間にすべり込ませて

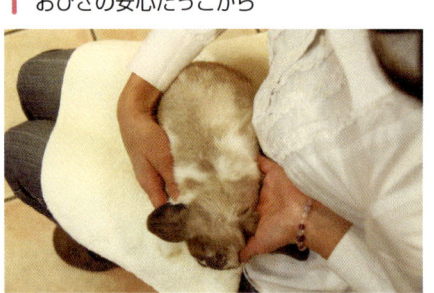

2 手の向きを変えて

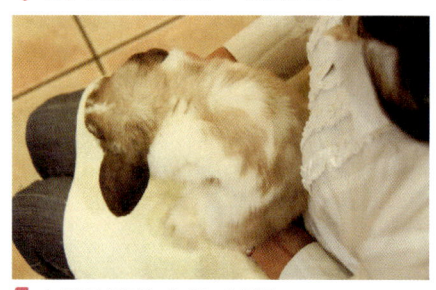

5 左手でお尻をすくい上げる

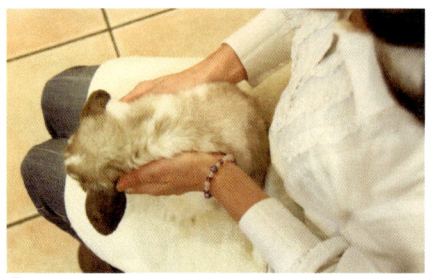

3 ひざに頭を向ける

胸を圧迫しすぎ
ないように注意

6 出来上がり！

✤ おすわりだっこから赤ちゃんだっこ

1 おすわりだっこから、うさぎを横向きにして

2 頭をわきの下にストンと入れ、こめかみを
はさむ

　　赤ちゃんだっこをマスターできると
利き手を自由に動かせるので、ケアの
幅がぐっと広がります。

　　3のステップまで上手にできるよう
になったら、左のひじと腕だけでうさ
ぎを支え、左の手のひらも自由に動か
す練習をしてみてください。後ろ足の
爪切りやお尻のケアは完全にマスター
できます。

　　あなたのやりやすい方法を見つける
ことも大切です。この方法が苦手なら、
P110、P111の方法も試してみて！

手首まで、しっかり
うさぎに密着させ、
手のひらを
動かしてみよう！

3 左手でおしりを包み、右手を離して出来上
がり！

いろんなだっこにチャレンジして得意なだっこを見つけよう

たて抱きだっこの方法を紹介します。初級編をマスターしたら、上級編やひっくり返しだっこにもチャレンジしていきましょう。

❖ たて抱きだっこ〜初級

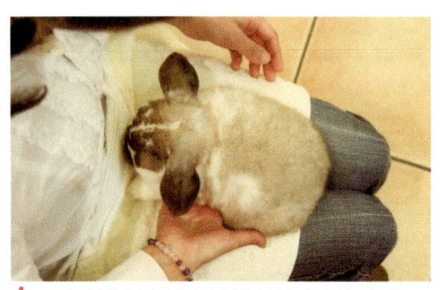

1 頭を自分に向けて右手をおなかに入れる

2 左手をお尻に添える

3 ボールをすくい上げるように思い切って持ち上げる

4 右手を抜いて

5 すばやく肩を支えて出来上がり！

❖ たて抱きだっこ〜上級

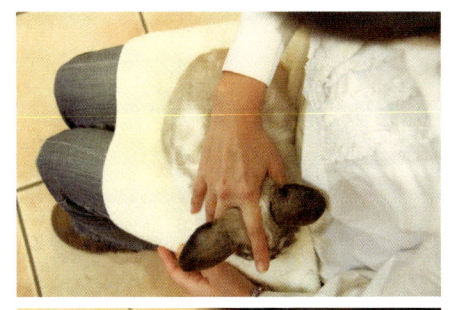

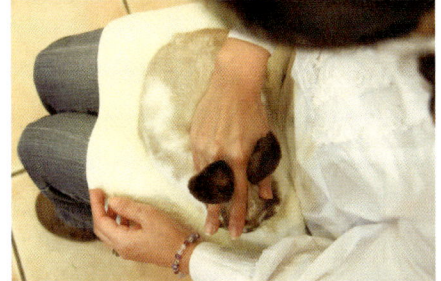

1 おひざの安心だっこの状態で耳の間に人差し指を入れ、はさむ

2 耳をはさみながら左手をお尻に当て

3 ボールをすくい上げるように思い切って持ち上げる

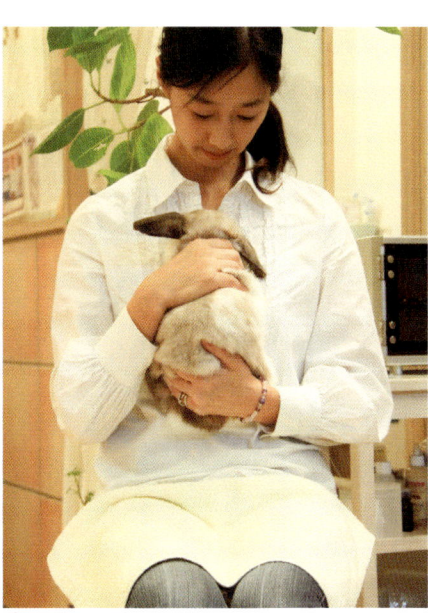

4 右手で肩を支えれば出来上がり！

❖ たて抱きだっこから赤ちゃんだっこ

1 たて抱きだっこで耳をはさむ。左手はお尻

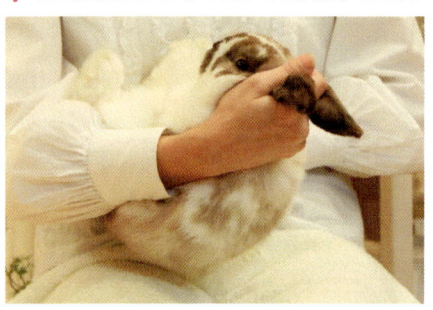

2 頭をわきの下に運ぶ。左手はまだお尻

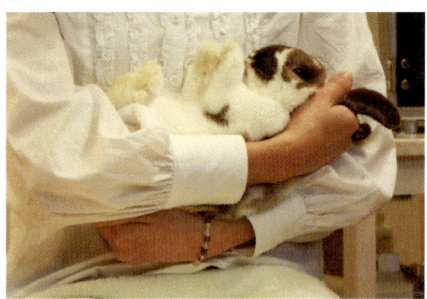

3 右手で耳をはさんだまま右腕で全体を包み込む

> 107ページでは、おすわりだっこから赤ちゃんだっこをしました。どちらでもやりやすい方法を選んでください。

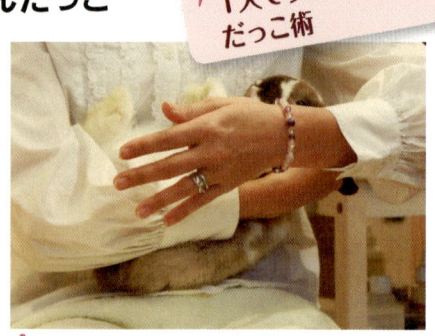

4 お尻を包んでいた左手を離し

5 左ひじでこめかみを押さえ左腕で体の側面を包み込む

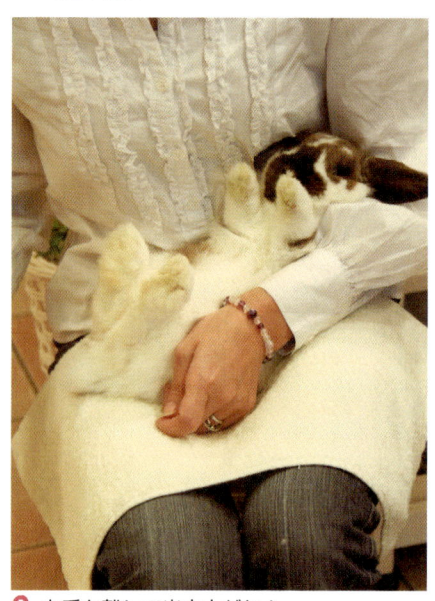

6 右手を離して出来上がり！

❖ たて抱きだっこからひっくり返しだっこ

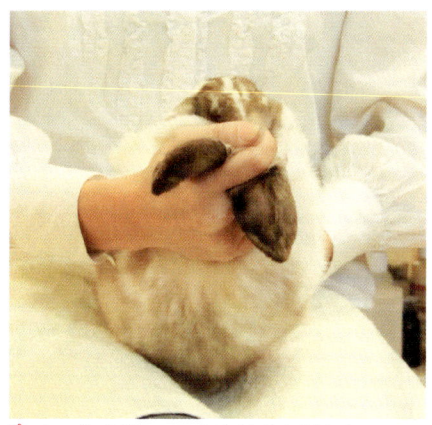

1 たて抱きだっこで耳をはさんだまま

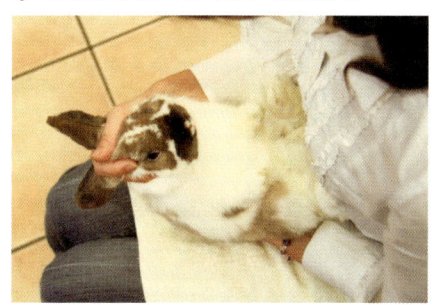

2 お尻を下ろし、ひっくり返していく

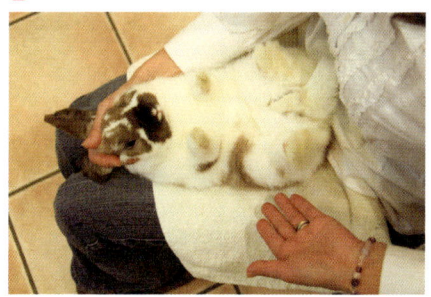

3 右手で耳をはさんだまま左手を抜く

Point

　鼻から肛門まで、まっすぐを保つのがコツです。台に足を乗せて、頭に血が上らないようにしましょう。

4 左手で頬に手のひらを当て

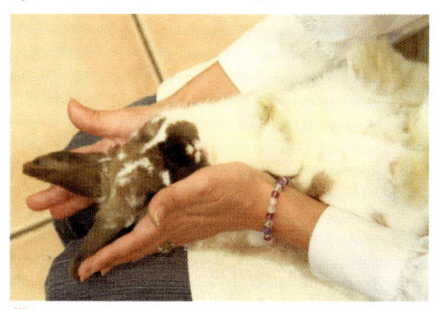

5 耳をはさんでいた手を抜き、頬に当てる

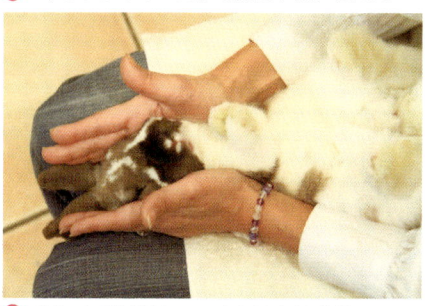

6 少しひざを開き、こめかみをはさむ

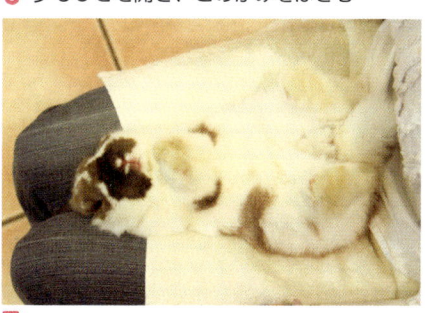

7 両手を離して出来上がり！

うさぎのだっことふれあい術

111

だっこができるようになったら いよいよ爪切りを実践

爪切りは大切なお世話のひとつです。爪が折れるけがを防ぐためにも むずかしいと思わず、やり方を覚えていきましょう。

❖ 爪切りは月に一度が理想です

初心者の場合、うさぎ専門店か動物病院で爪切りをしてもらうのもひとつですが、先端のとがった部分を切るだけでも爪が折れる予防になります。

➕ 初心者の場合

初心者は血管の2～3mm上を切ります。

➕ 上級者の場合

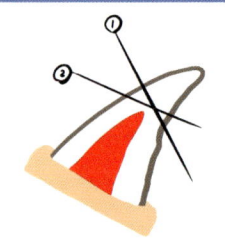

上級者は①②の順にカットすると爪が折れにくくなります

❖ 爪切り

爪切りは月に一度を目安にしましょう。爪切りができるようになるといろいろなケアをしてあげられるようになります。

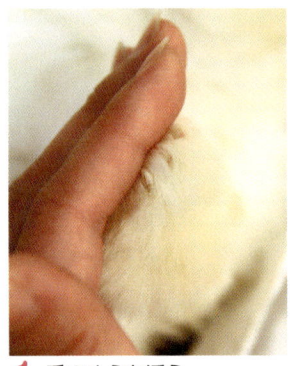

1 手のひらを添え

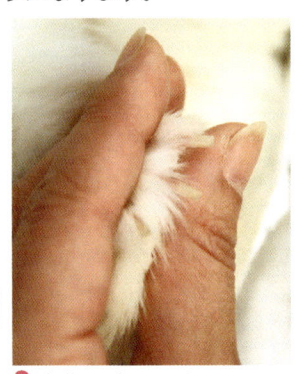

2 親指で毛を下に押し

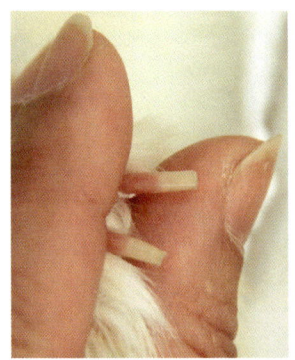

3 爪を露出させる

✛ いろいろな体勢で爪を切る

おすわり だっこで

おすわりだっこでの爪切りはペアで行います。お尻まわりが汚れたときや、薬をあげるときも役立つ方法です。ぜひチャレンジしてね！

おひざの 階段 だっこで

頭側の足を高くすれば「おひざの階段だっこ」が完成！薬を飲ませるときにも役立ちます。

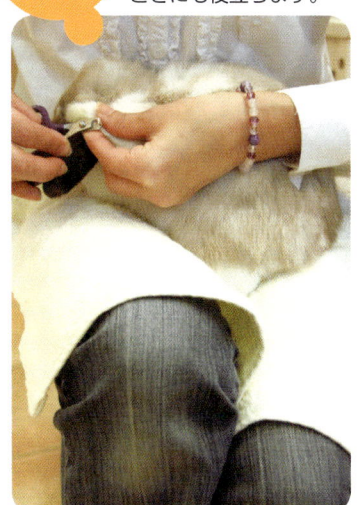

ひっくり 返し だっこで

台に足を乗せて、頭に血が上らないように

赤ちゃん だっこで

赤ちゃんだっこで成功したら、上級者！

注意！

薬はおすわりだっこか おひざの階段だっこで

うさぎに薬を飲ませるときは、おすわりだっこか、おひざの階段だっこの姿勢にします。ひっくり返した姿勢で投薬すると、誤嚥の危険があるからです。

113

ふれあいタイムにもなる グルーミングはていねいに

最初にコームやスリッカーで頑張ってしまうと、道具を見ただけで逃げるようになってしまいます。グルーミングに挑戦するスタートは、うさぎが心地よく感じるアイテムでコミュニケーションをとる事から始めるのがおすすめです。

❖ ハンドグルーミング

日々の抜け毛が取れると同時にボディーマッサージにもなるので、うさぎも嫌がりません。肥満などのボディーチェックもしながら、信頼関係を深めましょう。

少し離れたところから霧状のスプレーをたっぷりかけます。

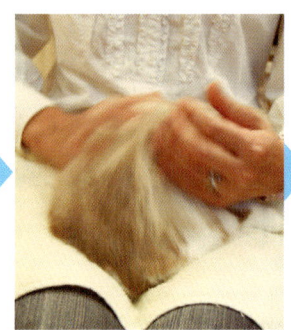

よしよしするように全身になじませたら首からお尻に向かって何度かなでます。

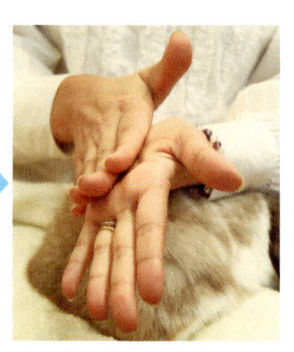

手には抜け毛がいっぱい付いてきます。丸めて捨てれば、部屋に抜け毛が舞わずに済みます。

❖ ブラシの使い方

家でのグルーミングは、ハンドグルーミングとブラシを繰り返す、優しいケアを基本にしましょう。定期的に専門店でケアをしてもらいましょう。

全身に使えるグルーミングスプレー。（オードブリエ・シュシュラビット）

皮膚に優しいブラシ。（ニューウェイフォーヘア）

ニューウェイフォーヘアは体にフィットするのでおすすめです。

❖ コームの使い方

激しい
換毛期

皮膚を傷つけないように注意します。
人差し指をコームから突き出して持つとよいでしょう。

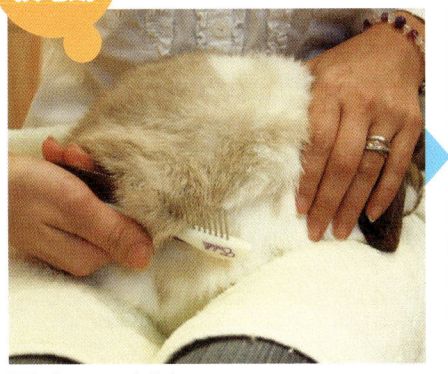
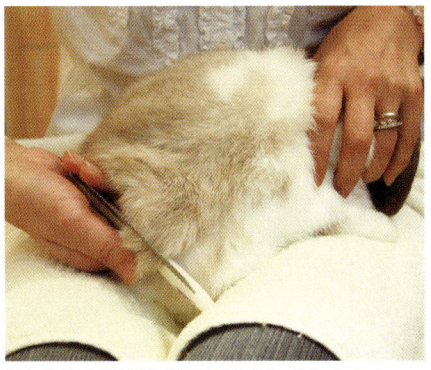

下からコームを入れて　　　　　　　　そり返して親指を添えてやさしく抜きます。

❖ グルーミングは適度に

　換毛がひどい時、グルーミングに夢中になって15分以上続けないように心がけましょう。また、力を入れて皮膚を傷つけないように注意します。時々表情を見て、うさぎに疲れが出ていないか確認することも大切です。

　グルーミングは必要ですが、やりすぎによるストレスで体調を崩すこともあるので、適度なケアにとどめることも忘れないでください。

うさぎのだっことふれあい術

115

うさんぽマメ知識

最近ブームになっている「うさんぽ」。飼い主さん同士がうさぎを連れて集まり、楽しい交流の場として人気が高まっています。

でも、うさぎにとってはどうでしょう。薄暗い時間帯に、敵に狙われないように必死に生きる野生本能が残るうさぎにとって、青空の下、犬やカラスが近くにいる状態でリードや服を着せられて、どんな気持ちか考えてみて。天敵のフクロウやキツネ、イタチに襲われる恐怖を感じることでしょう。

また、テリトリー以外で過ごすことに慎重で保守的なうさぎにとって、知らない場所というだけで緊張が高まります。

▶うさんぽの危険
- 緊張によって、後日食欲不振になりやすい
- ノミやダニが付きやすくなる
- 犬・猫・野鳥の糞尿の付いた草を食べる事による感染
- 有毒植物や除草剤の付いた草花を食べることによる中毒や腸炎
- 日射病、熱中症の多発

▶うさんぽ（オフ会など）交流の場での危険
- うさぎ同士が鼻を接触することによる感染
- 飼い主同士がうさぎをなでた手からの感染
- 話に夢中になっている隙に妊娠（3秒で交尾してしまいます）

▶注意
一度でもくしゃみ、鼻水、ダニ、真菌、粘膜便が出たことがある子は、症状が治まって一見完治したように見えても「感染力」は持っていることが多いです。交流の場には連れ出さず、ストレスにさらさない！うつさない！自分のうさぎと友達のうさぎを守ることを大切にしてあげてね。

土や草に触れさせてあげたい！
だから「にわんぽ」
お庭やバルコニーで
思い切り遊ばせてあげよう！
（春・秋の涼しい時間帯限定です。熱中症にはくれぐれも気を付けて）

準備
1. 芝生やプランターで土や野草と触れる工夫
2. 穴を掘って脱走しない工夫
3. ジャンプして飛び出さない高さのある囲い
4. 日陰になるしっかりしたトンネルの設置

にわんぽ
1. 虫除けに「ラビハーブ」をシュッシュしてから出してあげよう
2. カラスや猫に襲われないようにそばで見守ること

うさぎの病気と介護

いつからそんなに甘えんぼになったの？

もうすぐ10歳！ もっともっと、長生きしようね！

病気になったときに
あわてないための心構え

病気のとき一番大切なことは、自分のやるべきことができるかどうかです。
通院や投薬、元気になるまで、全力でサポートしましょう。

状態の把握と伝え方

病院は、あなたのうさぎだけを診る
場所ではありません。限られた時間の
中でしっかり簡潔に伝える努力をしま
しょう。

✛ 病気かな？ ここでチェック

● いつからおかしいのか。

● 気になる原因（引越し、おでかけ、騒音など）

● フンの量（ふだんと比べて○％くらい出ているなど）

● フンの形（袋に入れて病院に持参するのが一番です）

● 尿の量や色（ペットシーツにしみ込んだ尿も持参しましょう）

● どんな様子か？
　　　・うずくまって動かない
　　　・だっこを嫌がって暴れる元気がある。
　　　・歯ぎしりをしている→痛みのサイン。
　　　・後ろ足を前に伸ばす→胃腸の不快感。
　　　・もぐもぐ口を動かす→胃腸や奥歯の不調。
　　　・同じ方向にクルクル回る→神経症状。

● 食欲のレベル
　　　・レベル1　フンは出ているが、好物しか食べない。
　　　・レベル2　好物も少ししか食べない。
　　　・レベル3　そっぽを向いてほぼ絶食状態

● 異物誤飲の可能性　ずっと前であっても、ペットシーツやカーテン、マットなどを食べてしまったことがある場合は、必ず伝えましょう。

病院選びと通院のポイント

どんな病気でも、体調が悪くなると食欲不振になりやすく、胃腸障害も起こしやすくなります。

うさぎのだっこに慣れていないと保定（処置のための安全な抱き方）がうまくいかず、大けがにつながります。

うさぎの治療経験が豊富な信頼できる病院を選びましょう。

近くにうさぎを診てくれる病院がない場合は、病院がないとあきらめずに、爪切りや健康診断などにこまめに通って、獣医師にうさぎの治療に前向きになってもらう努力をしていくことが大切です。

✚ すぐに家でできるケア

① アクアコールで水分補給
② 朝・夜のトイレ清掃の徹底とフンの保管
（元気になるまで、朝〜夜・夜〜朝など時間を書いて保存すると、経過がよくわかる）
③ 朝・夜の食事量の管理
（いつも以上にしっかりチェック。残りは全部捨てて、新しいものを入れる）

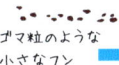

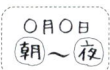

○月○日 朝〜夜
○月○日 夜〜朝
○月○日 朝〜夜

ゴマ粒のような小さなフン
いびつだが少し大きくなる

Point

丸くて大きいフンがふえたね！

病院へ連れていくとき

夏　キャリーに保冷剤を入れ、車内を涼しくしてから車に乗せます。
冬　キャリーには必ずカバーをかけて、保温対策をしていきます。

車内の助手席では
・キャリーを平らに置く
・シートベルトをする
・窓に日差しよけを使う

日差しの強いときは
・足元に置く
・直接クーラーの風が当たらないようにカバーをかけるなど工夫する。

夏は凍らせたペットボトル、冬はお湯を入れて保温。カイロや保冷剤も上手に使おう。

うさぎの病気と介護

55 病気のときの世話の仕方②

薬の飲ませ方と流動食 小さなときからシリンジに慣らそう

飼い主が薬をあげられなければ、うさぎの病気を治すことができません。健康なうちから練習しておきましょう。

Lesson 1 おいしい味を覚えさせる

うさぎに薬を与えるときは、シリンジを使います。シリンジ＝おいしい味と覚えてもらえると病気のとき、ストレスを与えずにすみます。りんごの絞り汁などを入れたシリンジをケージ越しに近づけ、フード入れの縁などに付けて「おいしいよ」と教えます。だっこもせず、警戒されずに、数日の努力でペロペロ飲んでくれれば、完璧です。

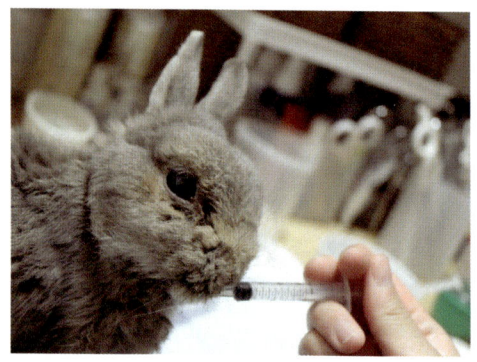

小さな頃から「シリンジ＝おいしいもの」と教えたので喜んで飲んでくれます♪

Lesson 2 自分から食べてもらう事から試そう

いざお薬を飲ませる必要が出た時、生野菜にふりかけたり、クランベリーに包んで、食べてくれるか試してみましょう。成功すれば、ストレスを1つ減らすことが出来ます。失敗に終わったときには、獣医師に事情を説明して、1日分を追加で処方してもらいましょう

いつもより少し贅沢に、生野菜におやつをまぶしてから薬をかけます。

自分から食べてえらいね!（きずなちゃん）。

✛ 上手に飲ませるコツ

Lesson 1 粉薬の場合は、できるだけ少ない水で溶きます。

Lesson 2 1回にゴックンできるのは、1cc が目安です。薬が2cc あるときは、1cc 飲ませたらシリンジを一度口から抜き、飲み込んだのを確認してから、もう一度入れます。

Lesson 3 できるだけ与える回数を減らすために、数種類の薬を処方された場合は、混ぜて与えてよいか確認しましょう。

Lesson 3 だっこして強制的に飲ませる

だっこして飲ませる方法もマスターしておきましょう。うさぎに負担をかけず、誤嚥（こえん）を防ぐためにも、ひっくり返しだっこでの投薬は厳禁です。

横から入れて　→　縦にする

手のひらの中心で押す練習をすると、少しずつ出せるようになります。

シリンジを口の横からすっと押し込みます。前歯に当てないように入れるのがコツです。

シリンジの向きを縦にして、薬を押し出します。先端だけ入れるのではなく2cmくらい奥まで入れるのがコツです。

Lesson 4 介護の心がまえ　闘病中の介護食ってどんなもの？

胃腸うっ滞など、闘病中に命を支える食事は、普段のフードを溶かすのではなく、専用のケアフードを使います。与えるかどうかの判断も、獣医師の指示に従う事が大切です。

介護食を与える時は、丸めたお団子から試してみて下さい。すりりんごなどを加えると美味しさがアップします。なるべく自力で喜んで食べてくれる工夫をしてみましょう。それでも食べない時には、柔らかめに水で溶き、シリンジから与えます。（強制給餌）

流動食の例。

胃腸のトラブル①
うっ滞

うさぎは、突然胃腸の動きが停滞する「うっ滞」を起こすことがあります。発見が遅れると命にかかわることもあるので、早期発見が大切です。

 うっ滞とは？

うっ滞は目に見えないストレスも原因となり、胃腸の動きが停滞することで起こる病気の総称です。

重傷 ↓	
●毛球症―――	うっ滞により胃の内容物が毛球状になる場合と、毛球や異物が原因でうっ滞になる場合があります。
●盲腸便秘―――	高カロリー、低繊維の食生活などにより、盲腸の動きが弱まり、内容物が停滞している状態。
●鼓腸症（こちょうしょう）―――	うっ滞が進行して、胃腸がガスでパンパンになる状態。
●腸閉塞―――	腸管に内容物が詰まったまま動かなくなる状態。

➕ うっ滞の原因は？

環境	温湿度、騒音（近隣の工事など）、におい（シンナー系）など。
病気	隠れた病気や臼歯のトラブルが原因していることも多い。
人	コミュニケーションの取りすぎや来客など。
毛	換毛中や換毛後、グルーミング不足。
遊び	運動不足、遊ぶ環境の悪さによる異物誤飲など。

➕ 予防

- ●日頃から繊維をたっぷり。
- ●カロリーの摂りすぎに注意。
- ●適度な運動。
- ●こまめなグルーミング。
- ●異物誤飲の注意。
- ●月に１〜２回の毛玉取り。

　発情の強さがストレスの原因になる場合もあるので、過度な刺激を与えないように気を付けましょう。

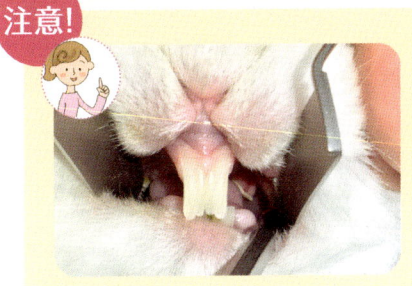

注意!

隠れた原因を見つけよう

　「臼歯が伸びて頬や舌に刺さる」という隠れた原因から食事が取れなくなるケースが最も多いので、うっ滞の時には臼歯も診てもらいましょう。

➕ 症状

　おかしいな？と思ったら、サークルに出したり、大好物をあげてみましょう。それでも動かなかったり、顔をそむける場合は、夜中であってもすぐに病院に連絡して下さい。

くるしいよ〜。
早く気がついて

- ●食欲の変化
  - ・ゆるやかに食欲が落ちる場合
  - ・突然食べなくなる
  - ・牧草しか食べない、など
- ●フンの変化
  - ・大きさや量の変化
  - ・形の変化
- ●行動の変化
  - ・うずくまって動かない
  - ・体や足を伸ばしたり、
    　変な動きをする
  - ・遊ばない
  - ・口をもごもご動かすなど

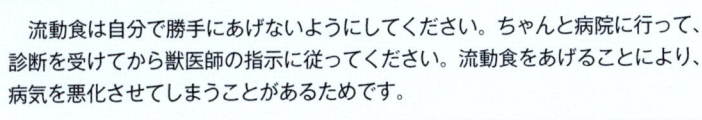

先生からのアドバイス!

流動食は獣医師の指示で与える

　流動食は自分で勝手にあげないようにしてください。ちゃんと病院に行って、診断を受けてから獣医師の指示に従ってください。流動食をあげることにより、病気を悪化させてしまうことがあるためです。

➕ ケアのポイント

- すぐに病院に連れて行く。
- おなかを冷やさないようにして保温する。
- 水にアクアコールを混ぜて飲ませる。
- 数種のおいしい牧草や野菜を与える。

おなかを冷やさないために保温は大切。

飲料水にアクアコールを混ぜる。

先生からのアドバイス！

自己判断で薬をあげないで

うっ滞には、プリンペラン（胃腸薬）が使われますが、閉塞など、症状によっては命取りになることもあります。常備薬として持っていても、自己判断せず、必ず獣医師に相談しましょう。

残っている薬で
あげるっては禁物！

うっ滞を繰り返すとき

たとえば、毛づくろいを頻繁に行ううさぎの場合は、1回に与える食事の量を減らし、食事の回数を増やす方法や、牧草を先にあげて胃を活発にしてから、フードをあげるという方法もあります。

牧草をあまり食べないうさぎは、牧草に含まれている粗繊維を十分摂れないため、うっ滞を起こしがちです。繊維質の多いフードに切り替え、更に粗繊維を多く含んだ流動食をプラスすることで改善することもあります。

注意！

誤飲トラブルNo1は？

ペットシーツのいたずらが誤飲トラブルNo1です。

1位　ペットシーツ
2位　ダンボールや雑誌（紙類）
3位　絨毯やマット（敷物）
4位　ビニールや壁紙

生活のいたる所に危険が！十分注意を！！

治療

➕ 問診と触診

　獣医師は、いつから食べていないのか、どのくらい食欲が落ちているのか、便の量についてふだんとの違いなどを聞きながら、うさぎの胃腸の張りや動きを見ていきます。

　飼い主が気付く変化はとても重要です。うさぎの様子をよく観察して、獣医師に伝えられるように心がけ、便や尿を持参してください。

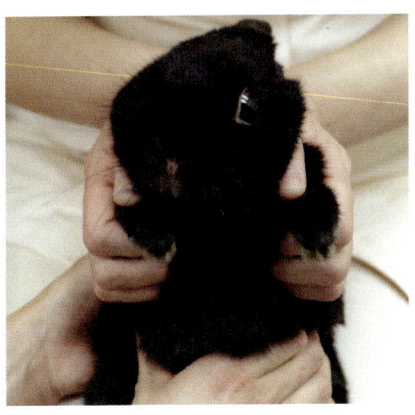

診察のようす

➕ レントゲン検査

　触診だけでは判断できない原因が隠れていることもあるので、レントゲン検査でくわしく正確に見ていきます。胃や腸のガスの状態も把握します

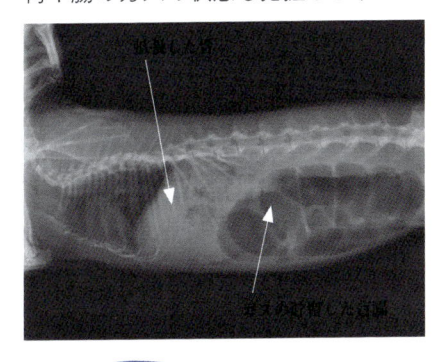

➕ 造影剤検査

　レントゲン検査で大きな異常や閉塞が疑われた場合は、造影検査をして、動きが止まっている場所を特定します。造影剤によって、異物やガス、停滞している食べ物が流れてくれることもあります。

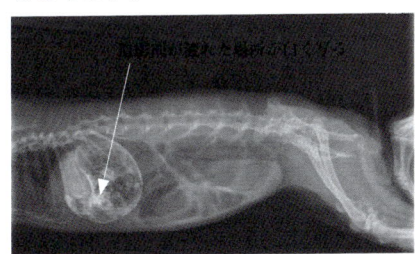

造影剤検査で分かった動きが止まっている場所

**先生からの
アドバイス！**

病院への連絡は早めに

　うさぎの胃腸の病気は進行が早い場合が多いため、食欲と便の量に少しでも変化が見られたときは、様子を見ないで、すぐに病院に連絡しましょう。早期発見、早期治療が大切です。

胃腸のトラブル②
下痢・腸炎

下痢は、細菌やウイルスの乱れから起きることが多く、命にかかわる病気です。早期治療だけでなく、予防が大切です。

➕ 原因は

繊維不足やフード、おやつの与え過ぎが大きな原因のひとつです。子うさぎにとっては非常に危険な病気です。

- フードの与えすぎ
- フードの種類を急に変えたとき
- 環境の変化やストレス
- 不衛生な環境
- 乾燥しすぎまたは湿度が高すぎ
- 老化

➕ 症状

- 元気がなくなる
- 食欲不振
- お尻の汚れや悪臭
- **もったり型の軟便**
  数日の治療と食生活で改善。
  まれに下痢に進行することも。
- **粘膜便**
  発症した時点では元気でも、数時間で悪化することがあります。
- **水溶性の下痢**
  ただちに命に関わる症状です。

いずれの症状でも、すぐに保温して病院に連れて行きましょう。

➕ 下痢のケア

汚れたお尻は、水分をふき取りおなかが冷えないようにします。脱水の予防に、アクアコールを与え、25℃は保てるように、保温が重要です。

食欲不振で元気がないようす。

Point

粘膜便や下痢がなくなるまで牧草を中心に

麦やクッキーは下痢を加速させるので、絶対に与えないで下さい。
症状が落ち着くまでは、数種類の牧草を中心に、フードはごく少量で様子を見ましょう。
下痢のときは、牧草がおかゆ、フードは定食だと思ってください。フンの様子を見ながら、徐々に日常の食事に戻していきます。

➕ 下痢の検査と治療

　下痢のときには、保温に気を配り、下痢便、ゼリー状の粘膜便などをラップにくるんで、病院に持って行きましょう。

　腸内細菌のバランスが崩れ、クロストリジウム菌などが増殖していないか、コクシジウムといったおなかの虫がいないかなどを、顕微鏡でチェックします。

　原因によって、治療は変わりますが、基本的には輸液と内服薬の併用が中心となります。

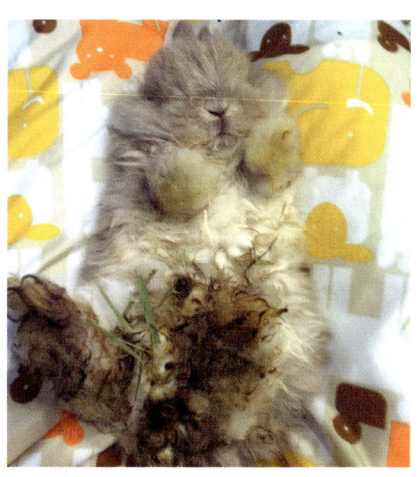

子うさぎの下痢

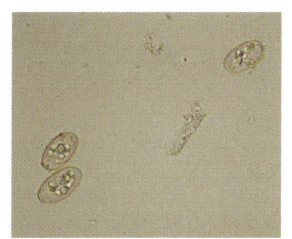

コクシジウムのオーシスト

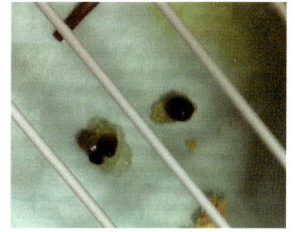

粘液性腸炎の粘膜便

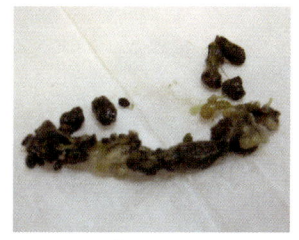

うっ滞後、粘膜と一緒に排出された便

先生からのアドバイス！

健康のための食生活（野菜の与え過ぎに注意）

　繊維質は胃腸の運動を促進するので、うさぎに不可欠な成分です。下痢、軟便、腸炎、奥歯のトラブル予防のためにも、健康な食生活を心がけましょう。

　野菜中心の食事は、必要な栄養分と繊維質を十分に摂取できないため、やせて毛艶が悪くなり、抵抗力が落ちてくることもあります。野菜は水分が多く、牧草と比べると繊維がとても少ないため、うさぎの健康を維持するには不十分なのです。野菜はおやつ程度にしましょう。

　臼歯（奥歯）の健康のためにも、軟らかい野菜ばかりではなく、硬い牧草を食べることは、とても大切です。食べるときには、上下の臼歯を水平方向に動かし、硬いものをすり合わせてつぶし、歯が磨耗されます。噛む回数を増やすことが、歯の伸びすぎの調整に役立っているのです。

　全身の健康のために、野菜中心の食生活を避け、必ず牧草と良質なフードを与えましょう。

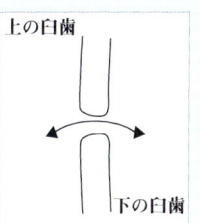

上の臼歯

下の臼歯

泌尿器トラブル
膀胱炎・尿砂・結石

気持ちよくおしっこをすることは、生きるうえで大切なことです。フードやカルシウムの高い野菜を与え過ぎないように、予防が大切です。

➕ 原因は

膀胱炎 ── 細菌感染が主な原因ですが、膀胱炎になると尿砂や結石ができやすくなり、逆に尿砂や結石があると膀胱炎になりやすいため、早期治療が大切です。

尿砂・結石 ── 細菌感染やフードの与え過ぎが主な原因です。体質もあるため、一度発症するとくり返しやすいうさぎもいます。尿の状態をよく観察しましょう。

➕ 症状

●血尿や頻尿があったり、いきんだ様子などを見せる。
●腎機能にトラブルが出ていると、多飲多尿、元気喪失などの症状が見られます。

➕ 治療

　泌尿器のトラブルは、原因によって治療が変わってきます。膀胱炎であれば、抗生剤中心の治療になります。膀胱内に尿砂がある場合は、低カルシウムの水や食事、漢方薬で治療を行います。水分を多く取らせて、尿の量を増やすことも大切です。便の様子を見ながら、軟便にならない程度にカルシウムの少ない野菜を与えましょう。

　膀胱結石は、大きさによっては麻酔をかけて手術で摘出することが必要な場合もあります。腎結石の場合は、手術でなく輸液や食生活の改善による治療になります。

　結石や尿砂などはレントゲンですぐに分かるので、年に一度は定期健診を受けて、早期発見をしましょう。

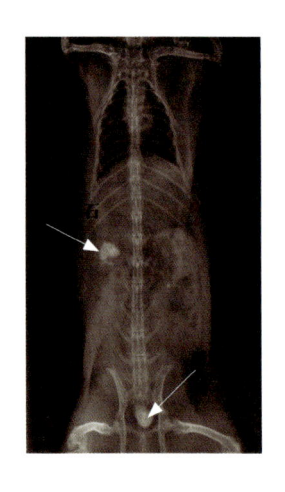

➕ 予防とケア

✦ 食生活の改善

①カルシウム・リンを調整した尿のトラブルにアプローチする次世代フード。

Do ラビットフード（ウサギのハート）

②水分をとらせるためにフンの様子をみながら野菜を与える。

水菜・サニーレタス・セロリなど

③カルシウムの多い水道水をやめる。

魔法のスティック
（B-blast）

✦ 予防のためのサプリメント

尿の排出サポート

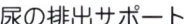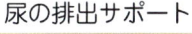

うらじろがし&金銭草
（メディマル）

免疫力アップ

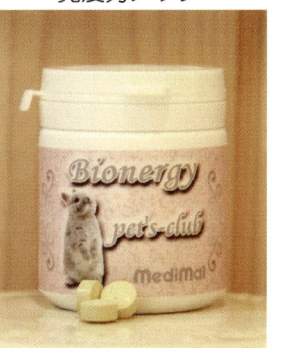

ビオネルジーペッツクラブ
（メディマル）

老廃物の排出サポート

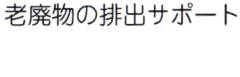

シリー・ケイ（世田谷サルーテ）

そのまま与えるより
煎じて与えるとGOOD！

沸騰させず
に中火で
コトコトが
ポイント！

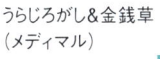
100cc の水

＋

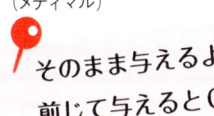
大さじ3杯のうらじろ
がし&金銭草

1/3量になるまで煮詰
めたらできあがり
↓
朝夕2.5ccを与えます

✦ 保温とケア

冷えは大敵です。パネルウォーマーで保温し、お尻をきれいにしましょう。

皮膚のトラブル
尿やけ・フン汚れ・ダニ

尿やけやフン汚れは、何らかの不調の結果です。ケアするだけでなく原因を見つけるためにも、必ず病院で治療を受けましょう。

➕ 原因と予防

皮膚トラブルの原因は、膀胱炎や結石、老化による足腰の衰えにある場合が多いです。

飼育環境を見直し、肥満のうさぎはダイエットの努力をしましょう。

改善と予防のチェックポイント
- きちんとお掃除をしている？
- トイレ砂を入れすぎていない？
- 床の上でおしっこをしていない？
- 木のすのこを使っていない？
- 太りすぎていない？

➕ 皮膚トラブルのケア

うさぎはとてもきれい好き。汚れたままでは、皮膚は荒れてしまい、痛みも激しくなります。ケアをしてくれる病院やうさぎ専門店を探し、任せるのが一番です。見つからない場合は自宅で努力するしかありません。少しずつ改善を目指しましょう。

①肌にやさしいシャンプーで患部だけ洗浄します。

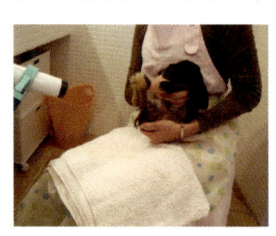

②ピュサイエンスで保湿しながら、しっかり乾かすことが重要。

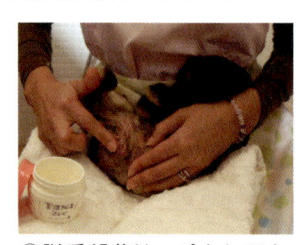

③脱毛部分は、パウケアクリームで保湿します。

8歳半のはなぼう君。足腰は衰えてしまったけれど、パパとママの愛情でいつも清潔で幸せです。シャンプー後は、体も温まってよい気持ち。

肌にやさしいおすすめアイテム

バナズージェルシャンプーとバナズームースシャンプー

オードブリエ・シュシュラビット

※健康なうさぎにはシャンプーの必要はありません。ストレスやけがのもとです。

✤ ていねいなケアで回復する

　神奈川県横浜市のpet's-clubには、寝たきりのうさぎや、ひどい尿やけ、フン汚れのうさぎがたくさん来店します。座っている姿はとてもきれいなのに、ひっくり返すと写真のように汚れていることも。だっこをすることの大切さを実感してください。重度の汚れでも、シャンプーして、毛を短くカットし、荒れた皮膚を保湿しながら通気をよくすることで、3日〜1ヵ月で改善していきます。あきらめずにケアをし、清潔さを取り戻したうさぎは、動きも元気になります。

尿やけ

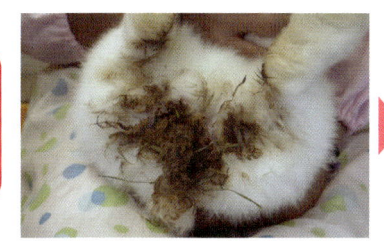 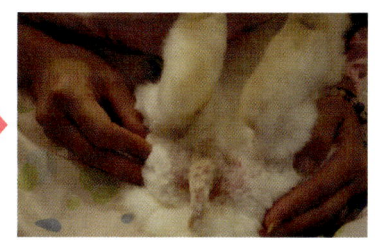

フン汚れ

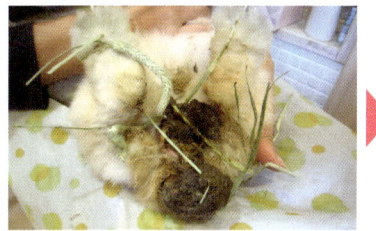 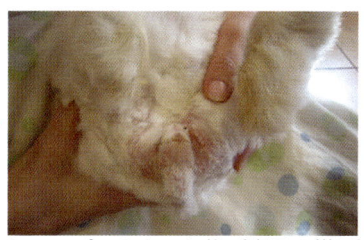

ケア前　　　　　　　　シャンプー＆カット後（当日の様子）

皮膚トラブル　ダニ・真菌

　首の後ろやしっぽの付け根に、フケやかさかさ、脱毛がある場合は、真菌、ツメダニ、細菌感染などが疑われます。体全体にきな粉やコショウを振りかけたような点々が見える場合は、ヅツキダニです。ダニにはレボリューションという駆虫薬、真菌には抗真菌薬を用います。清潔な環境にして、ラビハーブでうさぎの体とグッズの虫除けをすることも忘れずに。

レボリューション6%で駆虫

かゆかゆ〜

ラビハーブで虫よけ（グッズにも）

足裏のトラブル
ソアホック・骨折

後ろ足のかかとのはげた部分が炎症や出血を起こしたりする病気です。
赤ちゃん抱っこなどをしてときどきチェックしましょう。

➕ 原因

● ケージの不衛生
● 足場（地面）の不適切な環境
● 肥満
● 足腰の老化による負担など

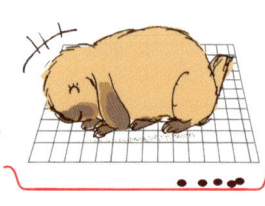

見た目はナチュラルな木材。しかし、全体重がかかとにかかり、負担が大きい。

見た目は痛そう。しかし、しなりがあり、体重を分散してくれて清潔。

➕ 治療

炎症の程度により、塗り薬、飲み薬、外科処置と治療の方法はさまざまです。原因を改善しないと治りにくいため、飼い主の努力が必要です。

治療は必要ない

小さな発赤は、体の構造上ほとんどのうさぎに見られる。

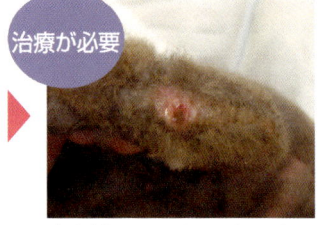

治療が必要

炎症を起こしていたり、出血があるときはすぐに病院へ。

➕ ケア

バスマットや低反発マットなどを組み合わせて、足裏にかかる負担を軽くします。病院に行くときに、キャリーケースにもにもマットを敷くことを忘れずに。

✣ 骨折の原因

うさぎの骨は軽くて薄いため、ちょっとしたことでも骨折をします。骨折はうさぎの生活に気をくばることで防げることが多くあります。 骨折が疑われる場合は動物病院を受診し、治療を受けましょう。

➕ 健康なうさぎの場合

・フローリングなど滑る場所でのケガ
・抱っこからの落下
・サークルからの脱走
・放し飼いでの高所からの落下

 予防策
- ●すべらない安全な環境で遊ばせる
- ●正しい抱っこを学ぶ
- ●脱走の可能性がある着地点にマットなどを敷いておく

➕ 高齢期、神経症状の場合

・ロフトやハウスからの落下
・よろけた時にケージの格子に手足をはさむ
・クッションのないキャリーケースでの移動時の骨折
・キャリーケースの格子から手足が出て骨折

 **予防策**
- ●足腰が弱ったり、よろける様子があるときや、神経症状の兆候がある場合、バリアフリーを基本にして、ケージ、キャリーケースに手足が出ないようにガードをする事が何よりの予防になります。

➕ やんちゃなうさぎの場合

・病院での診察台、レントゲン時の骨折

 予防策
- ●やんちゃなうさぎの飼い主は診察のたびに、スタッフ、獣医師に特別やんちゃであることを伝えて、気を付けて接してもらうよう声掛けすることで大きな予防になります。

爪のトラブルと呼吸器

うさぎと暮らす中で、爪のトラブルは防ぎきれないこともあります。元気な子ほど、楽しく遊んでいるときに爪が折れることがあるからです。予防と対策を知っておくことが大切です。

➕ 爪が折れた時

まずは普通に歩けているか確認します。

歩行に異常がある場合には、様子を見ずにすぐに病院へ行ってください。骨折や脱臼の可能性があるので、そっとキャリーに入れます。

キャリーの中には、タオルやぬいぐるみなど入れて寄りかかれるようにして下さい。

予防策
- すべらない環境と爪が引っかからない環境を見直します。
- 定期的な爪切りが大切です。→ P112 参照
- 突然の大きな音でパニックを起こす事があるので、騒音に気を付けます。

➕ 爪を切りすぎて出血したとき

あわてず様子を見ましょう。

ケガの直後は興奮している事が多いため落ち着くのを待ってから確認します。

止血剤を持っていれば、粉をかけます。

動きに異変を感じたり、10分以上出血が止まらない時には動物病院に行きましょう。

クイックストップなど、止血剤を常備しておくと安心です。

❖ 呼吸器

うさぎは鼻で呼吸をしています。胸腔が狭く、肺活量が少ないため、トラブルが起こるとダメージが大きく出てしまいます。早期発見、早期治療が何より大切です。

➕ 原因

目、鼻、歯、気管支、肺、心臓、さらには重度のうっ滞など、様々な原因で呼吸器のトラブルが発生します。獣医師に原因を突き止めてもらうためにも、日ごろの様子を良く観察して伝えることが大切なポイントです。

➕ 呼吸器トラブルのサイン

【涙】食後だけ涙が増える。毎日涙が出る。など。
【くしゃみ】食事中にくしゃみが多い。不定期。など。
【鼻水】透明、白、黄色など。

➕ 緊急のサイン

【えずく様子】
【鼻を大きく膨らませた呼吸】 } **とても心配な状態です。様子を見ずにすぐに病院に向かいましょう。**
【口呼吸】

予防策 食事
● フードや牧草の粉をふるう。
● こまめに入れ替えることを前提に、フードや牧草に軽くお水をスプレーする。
● フードの上にみじん切りの野菜を乗せて、粉を吸い込まない工夫をする。

予防策 環境
● 乾燥をさけ、加湿をする。
● こまめな換気と空気清浄機の設置など。

口元にスプレーして貧血予防と酸素アップ

クラスターアトマイザー（メディマル）　　20㎝くらい離れたところからスプレー。

お水に混ぜて血管をきれいに循環アップ

シリー・ケイ（世田谷サルーテ）

瞳のトラブルとケア

うさぎと暮らすにあたり、中年期以降は瞳のケアが必要になる子が多くいます。ホームケアも重要な課題になります。

目のトラブル

鼻涙管とよばれる目頭から鼻に抜ける涙の通り道が、歯根に押されて細くなったり炎症を起こすことがあります。病院で治療を受けることはもちろんですが、骨格も影響するため、慢性疾患になる事が多いです。

➕ 原因と予防

✚ 原因=光

予防=薄明薄暮性の穴ウサギであることを思い出してください。日中、明るく太陽光が当たり続ける場所は白内障の進行を早めると言われています。直射日光を避けられる配置にしましょう。

✚ 原因=抜け毛

予防=換毛期、グルーミング不足だと抜けた毛が舞って眼球に入り込んでしまいます。
こまめなグルーミングも大切な予防策です。

✚ 原因=乾燥しすぎ

予防=お部屋の乾燥対策には加湿器、体の乾燥対策には生野菜の増量

✚ 原因=高齢期や神経症状が出た時のケガ

予防=よろけたり、転ぶリスクが高い時には瞳のトラブルが増大します。

・ケガが増える

転んだ時に、食器の角や牧草で角膜を傷つけるケガが増えるため、丸みのある食器にかえます。
また、牧草は牧草入れにさすのではなく、横向きに置くように工夫しましょう。

➕ ケアの基本

シュシュラビットなど、瞳に優しいケアウォーターで汚れた部分を優しく流します。直接スプレーすると嫌がる場合は洗浄ボトルに移します。目薬が処方されている場合は、洗浄してから最後に点眼します。

洗浄ボトルとシュシュラビット

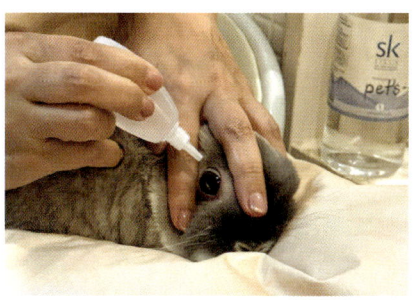
点眼するときには目じりから

➕ 涙やけが重度の場合は

治療を受けることはもちろんですが、慢性疾患の場合、ホームケアが必要です。毎日のケア方法は動物病院や専門店で教えてもらいましょう。

かたまりをシュシュラビットでふやかす。

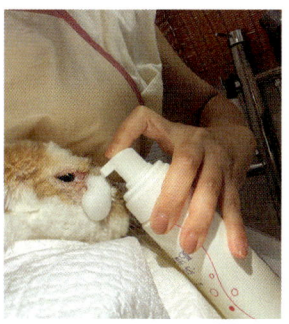
ムースシャンプーで、やさしく洗う。

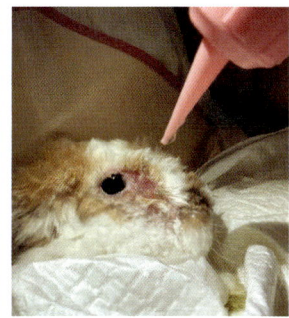
ぬるま湯で流し 乾かす。最後に点眼。

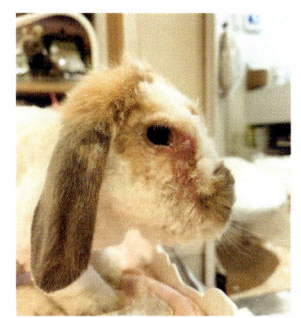
がんばったね。クシェルちゃん。

★さまざまなケア方法、動画でもご覧ください。
公式ラインからご相談にものっています。

子宮疾患と避妊手術

長寿とともに子宮疾患のリスクが高まります。できるものなら、適切な時期に避妊手術をしたほうが安心です。

➕ いざ病院へ

術前はストレスを避け、免疫アップのサプリメントなどを与え、できる努力を心がけましょう。飼い主の気持ちはうさぎに伝わります。不安な顔をせず、「大丈夫、長生きしようネ」と安心させるようにして送り出しましょう。

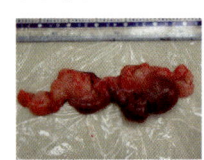

避妊手術で摘出した子宮の写真。右下に見える赤黒い2つの塊が、がんの部分です。

➕ 術後

摘出した子宮に異常がなかったかどうか、主治医に確認しましょう。万一、異常があった場合は、今後の注意点など、よく相談して下さい。

せっかく手術が成功しても、食欲とフンのチェックを怠ると、うっ滞になってしまいます。全く食べず、フンも少ない場合は、主治医に相談の上、流動食のサポートをしましょう。

➕ 3日経過

痛みのピークも過ぎて、元気が戻ってきます。傷口をいたずらしないように見守りましょう。

➕ 1週間後

いよいよ抜糸です。これからは肥満に注意して、HAPPYな毎日を過ごしましょう。

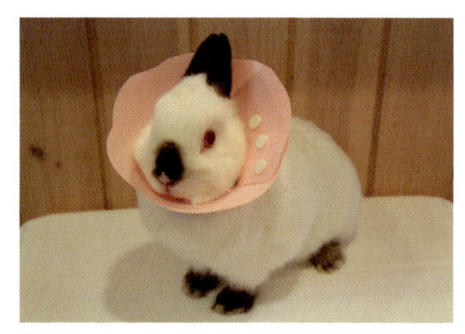

傷口がしっかりふさがるまでエリザベスカラーを付ける。

けがや神経症状が出たときのサポート

けがや神経症状は、まったく異なるものですが、ケアのポイントは同じです。飼い主ができることを知っておきましょう。

➕ 神経症状

異常な動きが見られたら、神経症状の疑いが高いので、すぐに病院に連れて行きましょう。発症後、治療を早くスタートするかどうかが後遺症を最小限にするための大切なポイントです。

斜頚

ローリング

- 首を傾けている（斜頚）
- 目が時計の振り子のように左右に動く（眼揺）
- 同じ方向に回ったり、転がるように倒れる（ローリング）

➕ けが

急に動かなくなる。足を浮かせたり、引きずったりする。目を細めて痛そうな表情をするなどの、異変に気付いたら、けがの可能性があるので、すぐに病院へ連れて行きましょう。

➕ 安静第一

安静とは、本当に数日うさぎが動き回らないようにすることです。かわいそうと思って、広いケージのままだと、薬が効いて動き回ったり、パニックを起こしてよけいにけがをすることもあります。治りも悪くなるので、十分注意します。

神経症状の場合は暗くしてあげてください。

注意!

揺れはストレスになる

痛みや不安のあるなかで、病院に通院するときの揺れは大きなストレスになります。うさぎがバランスを崩さないように、タオルなどに寄りかかれるようにして移動しましょう。

介護食について
考え方と手づくりレシピ

ここで紹介する介護食は、高齢期や歯のトラブルなどで、胃腸は健康だけれど固いものが食べられない時の、日々の食事のサポートについてです。

協力＆モデル：天国のトート君と家族に感謝を込めて

ここで紹介する介護食→普段の食事（ラビットフードや野菜）をベースに工夫。
うっ滞時の介護食→消化に優しい専用ケアフードを獣医師の判断で与える(p121)

新鮮な野菜やりんごを買ったその日に調理して冷凍保存！日々のお世話も楽になります。

- ミキサーにかけてジュースに
- みじんぎりに
- すりばちでペーストに
- おろし金ですりおろし

クラッシュタイプの製氷トレーやジップ付き袋に冷凍しておくと便利です。

まずは解凍

フードと混ぜる

形をつくる

① 粗い繊維を追加して食べてもらう工夫

牧草の袋の下にたまった粉やおそばパイナップル（パイナップルの芯なので糖分はなく繊維が豊富）、乾燥野草などをクラッシュして混ぜる。

Do ラビットフードなど、やわらかくて食べやすいフードやサプリを、お団子に練り込まずに、別に添えることで、食感を楽しんでもらうのもひとつです。

② 食べる喜びを大切にする時

歯槽膿漏や歯が抜けて噛むことが出来ない場合は、無理に粗い繊維をとらせることよりも、生きる為に必要な栄養を補給することを優先します。栄養豊富なバナナは、少量でもエネルギー補給が出来ます。バナナを混ぜた介護食は、なめらかで飲み込みやすくなります。でも、健康なうさぎにバナナを与えると肥満の原因になるので与えないようにしましょう。

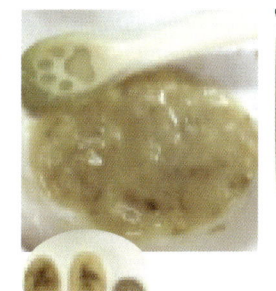

③ シリンジからの強制給餌は最後の手段

出来る限り、自分の意思で食べ物を口にするように工夫します。家族と共に、食べる喜びを分かち合うかけがえのない時間にしましょう。

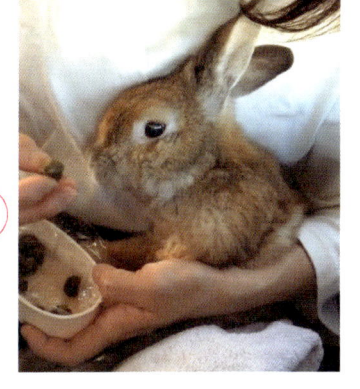

あとがき

　この本を手に取っていただき、最後までお読み下さりありがとうございます。

　執筆させて頂いた、うさぎ専門店ペッツクラブ代表の大里美奈です。

　28年前、うさぎと暮らす多くの飼い主さまと同様に、一瞬にしてうさぎの魅力に心を奪われました。

　「私の人生はうさぎと共に…」と、不思議なくらい何の迷いもなく確信し、ブリーダーになる事を決意しました。

　2000年にうさぎ専門店ペッツクラブをオープンしてからは、試行錯誤を繰り返し、日々うさぎと向き合う中で、うさぎと飼い主さまから多くの事を学ばせて頂いています。

　うさぎを家族としてお迎えしたときの飼い主さまの愛情あふれる笑顔。

　お世話や育て方について戸惑い、相談して下さる一生懸命な姿。
病気や介護生活の中で頼って下さる飼い主さまとうさぎの姿をを思い浮かべながら、多く寄せられるご質問を中心に、恩返しの気持ちで筆を進めました。

　このような機会を与えていただいたことに、感謝しています。

　初めて育てる方にとっては、これから成長する姿、未来を思い浮かべながら読み進めて頂ければ嬉しいです。中年期、高齢期のうさぎと暮らしている方には、これまでの日々を思い返しながら、高齢期を幸せで充実したものにする助けになればと思います。

　お店では、高齢のうさぎや、重度の介護が必要なうさぎのケアを担当しています。

　その中には、事故や飼育環境が原因で介護やケアが必要になったうさぎもいます。

　その子たちからのメッセージだと思って、より良い環境を整えて頂けたら幸いです。

初版から 10 年が過ぎました。

　その間に研究も進み、うさぎの生態に配慮した飼育用品も数多く開発されてきました。

　新たに分かったことや、飼育に関して当時の「常識」から見直したことも多くあります。

　牧草の大切さはもちろんですが、生野菜が大きな助けになることや、総合栄養食であるラビットフードは控えめにしたほうが健康に育つことなど、大切なポイントを改定させて頂きました。

　皆さまとうさぎの健康のお役に立てば幸いです。

うさぎ専門店 ペッツクラブ
代表　大里美奈

ペッツクラブのスタッフと共に、これからもうさぎのために頑張ります。

著者

大里 美奈

うさぎ専門店 pet's-club　有限会社ビレッジ代表

うさぎの健康を第一に考えたブリーディングとサポートを
目指しうさぎ専門店を運営。「困ったときは pet's-club」
をスローガンに、介護やケアに力を入れている。

横浜市青葉区すすき野 2-6-5　TEL:045-902-3420
http://www.pets-club.net

どこからでもア○
セスできるうさ○
の介護ケアの○
画を配信。

pet's-club の
ホームページ

病気と介護・監修　鈴木 道夫・可愛動物病院院長

「動物の心は私の心」「動物の痛みは私の痛み」という志を貫き、動物達の診療にあたっている。
うさぎの年間手術件数 100 件以上、うさぎの診療件数 1500 件以上。うさぎを詳しく、やさしく診療。

横浜市青葉区桜台 1-83　TEL:045-984-1122　http://www.kaai-pet.jp/

カメラマン　松平信秀（本文）

写真協力　高橋貞雄（カバー写真）
　　　　　　〜うさぎの楽園「大久野島」〜 uta
　　　　　　【中村隆之 磨矢】http://ameblo.jp/maron0/

制作協力　森本 恵美（うさぎ専門店 ココロのおうち 代表）
　　　　　　野口 雪乃／八木 キミ／工藤美佐

編集協力───── 斉藤道子
イラスト───── 湊 敦子・高隈千代
デザイン・DTP─ねころのーむ

Special Thanks

ジャージーウーリー＆子うさぎ：
　「うさぎ専門店ココロのおうち」のうさぎ達　http://www.kokousa.com/
ミニレッキス、フレミッシュジャイアント：
　MAHOROBA RABBITRY 山腰さゆり　http://minirex.net/

ミニうさぎのルンちゃん
ネザーランドドワーフの市川ちび太君
ホーランドロップの若井はなほう君
アメリカンファジーロップの角倉さく蔵君
フレンチロップの水野はなちゃん＆かりんちゃん
ホーランドロップの松平金太郎君＆茶太郎君＆風太郎君
アメリカンファジーロップの牧野とろろ君
ミニうさぎの牧野トート君
ロップイヤーの安形クシェルちゃん
その他のうさぎ「うさぎ専門店 pet's-club」のうさぎ達

かわいいうさぎ 幸せな飼い方・育て方　増補改訂版
ずっと健康にすごすために知っておきたい65のポイント

2022 年 10 月 20 日　第 1 版・第 1 刷発行
2023 年 2 月 10 日　第 1 版・第 2 刷発行

著　者　　大里　美奈（おおさと　みな）
発行者　　株式会社メイツユニバーサルコンテンツ
　　　　　代表者　大羽　孝志
　　　　　〒102-0093 東京都千代田区平河町一丁目1-8
印　刷　　大日本印刷株式会社

◎「メイツ出版」は当社の商標です。

ご意見・ご感想はホームページから承っております。
ウェブサイト　https://www.mates-publishing.co.jp/

編集長:堀明研斗　企画担当:折居かおる

※本書は 2018 年発行の「はじめてでも安心！かわいいうさぎ 幸せな飼い方・育て方がわかる本」を元
に、内容を確認し、加筆・修正、再編集をしあらたに発行しています。